Collection
PROFIL LITTÉRATURE
dirigée par Georges Décote

En attendant Godot (1952)

SAMUEL BECKETT

Collection
PROFIL LITTÉRATURE
dirigée par Georges Décote

Série
PROFIL D'UNE ŒUVRE

En attendant Godot (1952)

SAMUEL BECKETT

Résumé
Personnages
Thèmes

BERNARD LALANDE
agrégé des lettres

HATIER

ISSN 0750-2516 **ISBN 2-218-05287-3**

Sommaire

Nota : Toutes les références renvoient au livre publié aux Éditions de Minuit en 1952.

Introduction

A ma connaissance, il n'y eut jamais qu'un seul public pour se laisser bouleverser unanimement et spontanément par la représentation d'*En attendant Godot*, sans nulle explication préalable. C'est celui que constituaient le 19 novembre 1957 les quatre cents forçats du pénitencier de San Quentin (Californie). Les loustics de la maison étaient venus avec l'intention de faire des farces aux actrices. Comme il n'y a pas de rôle féminin, leurs projets tombèrent dans le vide; pendant l'instant où ils furent décontenancés, ils écoutèrent les premières répliques. Dès lors, ils étaient perdus : ils restèrent jusqu'à la fin, silencieux, fascinés.

Je ne puis m'empêcher de songer au temps où j'étais chargé, devant les quarante élèves de Philo de mon lycée, non d'enseigner le français, mais de tenir l'heure hebdomadaire de français, heure obligatoire, et sans épreuve à l'examen. C'était en 1954 ou en 1955. J'avais vu *En attendant Godot* au Théâtre de Babylone : nous avions été trente au lever du rideau, et quinze après l'entracte, deux chiffres que, je suppose, Roger Blin et la troupe avaient dû trouver encourageants, car tout est relatif. Je voulais faire partager mon bonheur à ma classe. Je n'avais alors pas beaucoup médité sur l'œuvre de Samuel Beckett, je n'en avais peut-être même pas lu grand-chose, en sorte que mes éclaircissements ne devaient pas être très enrichissants. Mais enfin nous lisions le texte ensemble, c'était l'essentiel - lecture coupée de grosses farces et de cris d'animaux. Il y eut même une déclaration solennelle d'un garçon sérieux qui refusait avec indignation d'écouter. Nous passâmes donc une convention : les trois quarts de la classe se mettraient au fond de la salle pour lire *l'Équipe* et *le Hérisson* ou pour jouer au pendu ou aux petits carrés, toutes activités silencieuses qui ne devaient pas troubler ceux qu'intéressait *En attendant Godot*. Mes dix auditeurs se composaient de quelques bons élèves toujours et partout prêts à tout, et d'un contingent inattendu d'irréguliers, les seuls dignes sans doute d'être pensionnaires à San Quentin (Californie). - Les temps sont changés. Nul doute que le prix Nobel ait fait réfléchir les gens sérieux.

Il reste que le texte, dans sa nudité et son apparente indigence, n'est pas d'un abord plus aisé aujourd'hui qu'il y a vingt ans.

Cependant, avant d'essayer d'en faciliter la lecture, il me faut ajouter un mot par précaution. Je n'ai jamais vu M. Samuel Beckett, mais chaque fois que je dois faire le moindre commentaire sur son œuvre, je sens dans mon dos son regard, un regard chargé d'une ironique stupéfaction. Samuel Beckett refuse toute interprétation à ses œuvres. Nul texte ne doit être lu avec plus de naïveté, tel qu'il est, au ras du sens littéral. Tout dépassement est un abus. Mais cette naïveté ne va pas souvent de soi pour les lecteurs que nous sommes. C'est elle que nous allons tenter de retrouver ensemble. En tout cas, quand vous aurez lu les pages qui suivent, si vous les lisez, il faudra les oublier, comme on fait disparaître les échafaudages d'un chantier pour voir l'édifice qu'ils cachaient pendant la construction.

Nous allons vous proposer une lecture d'*En attendant Godot* comme les guides proposent un itinéraire dans une ville ou une région inconnue. Après quoi il vous faudra refaire votre propre itinéraire à travers la pièce. Peut-être vaudrait-il mieux que chacun fasse son propre voyage de découverte, sans aide. Les guides sont faits pour les touristes pressés; celui-ci n'a pas d'autre prétention.

Analyse de la pièce 1

Il est difficile de résumer une pièce sans intrigue. Voici toutefois en gros ce qui se passe sur la scène. Le rideau se lève sur une toile de fond grise devant laquelle se découpe un simulacre d'arbre sans feuille. Un homme est assis par terre. Le texte imprimé ajoute deux précisions : que ce lieu est une route à la campagne et que c'est le soir. Un autre homme entre en scène. Les deux personnages sont vêtus avec une correction dérisoire : chapeaux melons, vestes noires, pantalons rayés, semblants de cravates; mais tout cela a roulé dans toutes les fondrières et dans tous les fossés. L'homme assis est dans l'attitude qui symbolise le repos des gens du trimard : il essaie de retirer sa chaussure. L'autre se nommera presque tout de suite, il s'appelle Vladimir, familièrement Didi, et il répondra plus tard au nom d'Albert. Mais le spectateur ne connaîtra jamais que le surnom, Gogo, de celui qui est pour le lecteur Estragon. Les deux acteurs ne doivent pas jouer de la même manière, celui qui est assis est plus lent, un peu balourd, tandis que Vladimir est plus vif, ce qui lui donne une apparence d'optimisme.

Nous apprenons que Vladimir et Estragon ont été séparés la veille au soir, qu'Estragon a passé la nuit dans un fossé et qu'on l'a battu. Le dialogue s'égare en quiproquos et en plaisanteries d'un goût douteux (la braguette de Vladimir n'est pas boutonnée); l'intérêt dramatique semble s'attacher à la question de savoir si Estragon parviendra à ôter sa chaussure; il y parvient. Après des propos sans conclusion sur les deux larrons du Golgotha, comme Estragon veut s'en aller, Vladimir lui rappelle qu'ils ne peuvent pas, qu'ils attendent Godot. Reste à savoir si c'est bien le moment et le lieu du rendez-vous, et surtout que faire en attendant. Ils ne savent pas non plus ce qu'ils ont demandé à Godot, si même celui qu'ils attendent s'appelle Godot. Là-dessus Estragon est en train de manger une carotte que lui a donnée Vladimir quand on entend un cri terrible. Alors entre en scène un vieil homme à longs cheveux blancs, vêtu d'un imperméable et de knickerbockers [1] avec un large chapeau mou; il est surchargé de valises et de bagages; il a une corde au cou. On entend un fouet claquer dans la coulisse. Enfin, tenant le bout de la corde et le fouet, paraît une sorte de gentleman-farmer (guêtres, culotte de cheval, chapeau melon de couleur claire). Déjà le vieil homme (le texte nous dit qu'il s'appelle Lucky) a disparu de l'autre côté de la scène. Mais le second, qui a vu Vladimir et Estragon, s'arrête, tire sur la corde, et on entend Lucky tomber avec son chargement. Le gentleman-farmer n'est pas Godot, mais un nommé Pozzo. On fait rentrer Lucky en scène. Il reste debout, sans poser ses fardeaux, tremblant comme un cheval près de crever. Pozzo déjeune, lui tout seul, et fume une pipe. Estragon obtient la permission de ronger les os laissés par Pozzo. On apprend entre autres que Pozzo va au marché pour y vendre Lucky, et comme celui-ci pleure, Estragon qui s'est approché pour le consoler reçoit de lui un violent coup de pied.

Pendant toute cette partie de la scène, Vladimir et Estragon se demandent qui, du maître et du serviteur, est bon et juste, qui est digne de pitié. Ensuite Pozzo, qui n'est pas pressé de partir, demande à Estragon de le supplier de rester. Il improvise un poème grotesque sur la lumière du jour, et comme il voit que Vladimir et Estragon s'ennuient, pour les distraire, il fait danser Lucky; cette danse est intitulée par Estragon « La mort du lampiste » et par Vladimir « Le cancer des vieillards ». Puis on donne à Lucky l'ordre de penser et il débite un long monologue dénué de sens; pour le faire taire, les trois autres doivent se jeter sur lui et le rouer de

1. Culotte bouffante, serrée au-dessous du genou, dite aussi culotte de golf.

coups. Enfin Pozzo et Lucky repartent. C'est à ce moment que survient un jeune garçon que la présence de Pozzo et de Lucky avait effrayé. Il annonce que M. Godot ne viendra pas ce soir, mais sûrement demain. La nuit tombe et la lune paraît. Estragon décide de laisser ses chaussures sur place. Puis Vladimir et Estragon se résignent à s'en aller ensemble : il est trop tard pour qu'ils se séparent. Et le rideau descend sans qu'ils bougent.

Si l'on compare le décor du début du deuxième acte à celui du début du premier, on constate des changements considérables : l'arbre est couvert de feuilles, les chaussures d'Estragon sont au premier plan et l'on reconnaît le chapeau de Lucky dans un coin. La scène est vide. Vladimir entre « vivement », s'agite, examine les chaussures, scrute les horizons et se met à chanter une chanson quasi idiote, dont la caractéristique est que le dernier vers permet de reprendre le premier en un perpétuel *da capo*. Toutefois Vladimir laisse mourir la chanson au milieu de la deuxième reprise, comme s'il n'avait plus le courage de continuer. Estragon entre, venant de la gauche, pendant que Vladimir regarde vers la droite. Ils finissent par s'étreindre. Doivent-ils se réjouir de se retrouver ? En compagnie de Vladimir, Estragon a moins de chances d'être battu. Ils peuvent toujours essayer de dire qu'ils sont contents : ils le disent.

Quoi qu'il en soit, il faut attendre Godot. Il ne reste plus qu'à s'efforcer de meubler le silence, de parler pour ne pas penser. On tente de sonder la mémoire d'Estragon ; c'est assez décevant. Estragon remet les chaussures que Vladimir croit avoir retrouvées ; on ne saura jamais si ce sont les mêmes. Estragon dort un instant et se réveille, épouvanté par un cauchemar. Vladimir découvre le chapeau de Lucky. Il l'essaie et tend le sien à Estragon qui change lui aussi de coiffure. Tous deux exécutent alors le numéro de cirque bien connu, celui de la permutation circulaire des trois chapeaux sur leurs deux têtes. Vladimir finit par garder le chapeau de Lucky et jette le sien. Ils essaient ensuite de jouer à Pozzo et Lucky : c'est si pénible qu'Estragon s'enfuit. Mais de la droite, puis de la gauche, Estragon revient terrorisé : quelqu'un vient. Dos à dos, les deux hommes guettent. Et au moment où ils ne s'y attendent plus surviennent Lucky et Pozzo qui s'abattent au milieu de leurs bagages. Vladimir est heureux de ce divertissement. Après une longue délibération pour savoir s'il convient de relever Pozzo qui appelle au secours et qui peut payer, Vladimir entreprend de porter secours aux deux hommes à terre. Il tombe à son tour. Estragon est prêt à s'en aller. Pourtant il cède aux instances de Vladimir et lui tend la main. Est-il besoin de dire qu'il culbute lui aussi ? Une fois à terre il se trouve bien.

Après quelques péripéties mineures, Vladimir et Estragon se relèvent chacun de leur côté, sans effort, par la seule raison qu'il faut bien en venir à faire autre chose. Ils remettent même Pozzo debout. Pozzo est devenu aveugle. Il voudrait savoir l'heure qu'il est, où il est : questions sans réponse. Estragon oblige à coups de pied Lucky à se redresser. (Il se fait d'ailleurs mal !) Vladimir demande à Pozzo de faire chanter Lucky avant de partir, mais Lucky est muet. Nul ne sait depuis quand. Et Pozzo et Lucky repartent pour s'écrouler quelques mètres plus loin dans la coulisse. Estragon essaie de se déchausser, y renonce et s'endort. Vladimir expose ensuite quelques sujets d'incertitude. Le jeune garçon entre; il ne reconnaît pas Vladimir; Monsieur Godot ne viendra pas ce soir, mais sûrement demain. Vladimir bondit pour s'emparer du garçon qui lui échappe. La nuit tombe aussitôt. Alors Estragon se réveille. Que peuvent-ils faire tous deux, sinon se pendre à l'arbre ? La ceinture d'Estragon n'est pas assez solide; le seul résultat, c'est qu'Estragon perd son pantalon. Ils décident de s'en aller, mais ils ne bougent pas et le rideau descend.

A travers ce résumé, il apparaît que la pièce est, au pied de la lettre, *insignifiante*. Ce sont des images de cinéma dont on aurait coupé le son. Ni la simple description des actions des personnages, ni la suite de leurs propos ne présente en soi d'intérêt. Mais c'est là justement le premier point à noter, peut-être le plus important : ce qui se passe sur la scène est manifestement insignifiant et absurde.

Les actes ne sont pas divisés en scènes. Nous vous proposons un découpage purement utilitaire, pour la commodité des renvois dans les pages qui vont suivre :

ACTE I

a : du début à « *Entrent Pozzo et Lucky* » (p. 33);

b : depuis « *Entrent Pozzo et Lucky* » jusqu'à « *Estragon. - En attendant, il ne se passe rien.* » (p. 62).

b : depuis « *Estragon. - En attendant, il ne se passe rien* » jusqu'à la sortie de Pozzo et de Lucky (« *En avant! Adieu! Plus vite! Porc! Hue! Adieu!* ») (p. 80).

d : depuis la sortie de Pozzo et de Lucky jusqu'à la fin de l'acte (p. 91).

ACTE II

a : depuis le début jusqu'à « *Entrent Pozzo et Lucky* » (p. 129).

b : depuis « *Entrent Pozzo et Lucky* » jusqu'à « *Ils sortent. Vladimir les suit jusqu'à la limite de la scène...* » (p. 154).

c : depuis la sortie de Pozzo et de Lucky jusqu'à la fin de la pièce.

2 Contexte historique et intellectuel

TABLEAU CHRONOLOGIQUE DE

	Vie de Samuel Beckett
1906	Naissance de Samuel Beckett à Foxrock, près de Dublin, d'une famille appartenant à la bourgeoisie protestante. Earlsford House, école protestante dirigée par un Français.
1907	
1909	
1910	
1912	
1913	
1914	
1916	
1918	
1920	Portora Royal School, collège anglo-irlandais.

LA CARRIÈRE DE SAMUEL BECKETT

Événements contemporains en Irlande	Événements contemporains en France
Fondation du mouvement Sinn Fein (= Nous seuls). Joyce s'établit à Trieste.	Charte d'Amiens (entre syndicats et partis). Conférence d'Algésiras. Claudel, *Partage de Midi.*
Deirdre de Yeats au Théâtre de l'Abbaye. Synge, *le Baladin du monde occidental.*	Triple Entente. Mort de Jarry.
	Fondation de la NRF.
	Péguy, *le Mystère de la charité de Jeanne d'Arc.* Claudel, *Cinq grandes odes.*
Les Communes votent le Home Rule.	Protectorat français sur le Maroc. Anatole France, *les Dieux ont soif.*
	Barrès, *la Colline inspirée.* Alain-Fournier, *le Grand Meaulnes.* Apollinaire, *Alcools.* Proust, *du Côté de chez Swann.*
Joyce, *Gens de Dublin* et *Dédalus.*	Succès socialiste aux élections. Guerre mondiale.
Soulèvement de Pâques à Dublin; la République est proclamée. Répression : 500 morts, Dublin incendié, 16 exécutions capitales, de Valera condamné à mort.	
	Fin de la guerre. Apollinaire, *Calligrammes.* Mort d'Apollinaire.
Home Rule. Guerre civile. Joyce s'établit à Paris.	

Vie de Samuel Beckett

1922	
1923	Trinity College à Dublin.
1924	
1925	
1926	Bref séjour à Paris.
1927	Bachelor. Lecteur d'anglais à l'École normale supérieure.
1928	Fait la connaissance de Joyce.
1929	*Dante... Bruno... Vico... Joyce,* étude publiée dans *Our Examination round his Factification for Incamination of Work in Progress.* Fait la connaissance d'Ezra Pound.
1930	*Whoroscope,* poème en anglais publié à Paris. Assistant de français à Trinity College.
1931	*Proust,* essai composé à Paris l'année précédente. Master of Arts.
1932	Démissionne de son poste à Trinity College. Séjour à Paris. Doit rentrer en Irlande, ses papiers n'étant pas en règle.
1933	Mort de William Beckett, son père. S'installe à Londres.
1934	*More Pricks than Kicks.*
1935	*Echo's Bones and other Precipitates,* recueil de poèmes publié à Paris.
1936	Voyage en Allemagne jusqu'au milieu de 1937.
1937	Retour à Paris. Habite près de Montparnasse. Reçoit un coup de couteau d'un clochard.
1938	*Murphy,* en anglais, à Londres.
1939	Revient d'Irlande en France dès le début de la guerre.
1940	

Événements contemporains en Irlande	Événements contemporains en France
Joyce, *Ulysse*.	Mort de Proust.
Fin de la guerre civile. Yeats : prix Nobel.	Occupation de la Ruhr. Radiguet, *le Diable au corps*. Jules Romains, *Knock*.
	Le Manifeste surréaliste.
Bernard Shaw : prix Nobel.	Pacte de Locarno. Gide, *les Faux-Monnayeurs*.
	Ministère Poincaré. Éluard, *Capitale de la douleur*. Aragon, *le Paysan de Paris*. Mauriac, *Thérèse Desqueyroux*.
De Valera et les républicains siègent enfin à la Dàil. Yeats, *Sept poèmes et un fragment* et *la Tour*.	
	Stabilisation du franc. Pacte Briand-Kellog. Breton, *Nadja*.
Yeats, *l'Escalier tournant*. O'Casey, *la Coupe d'argent*.	
De Valera obtient la majorité à la Dáil et préside le Conseil exécutif.	Céline, *le Voyage au bout de la nuit*.
	Malraux, *la Condition humaine*.
	Emeute du 6 février.
	Front populaire. Bernanos, *Journal d'un curé de campagne*.
Le pays prend le nom d'Eire. De Valera premier ministre.	
	Sartre, *la Nausée*.
Proclamation de la neutralité de l'Irlande. Mort de Yeats. Joyce, *Finnegans Wake*.	Guerre mondiale.
	Défaite de la France. Gouvernement Pétain.

Vie de Samuel Beckett

1941	Participe à la Résistance.
1942	Echappe à la Gestapo. Se réfugie à Roussillon, dans le Vaucluse. Ouvrier agricole.
1943	
1944	Retour à Paris.
1945	Revient en Irlande. Interprète à Saint-Lô. Retour à Paris.
1946	*Poèmes* 1937-1939.
1947	Traduction de *Murphy* en français.
1948	
1949	
1950	
1951	*Molloy, Malone meurt* publiés en français à Paris.
1952	*En attendant Godot.*
1953	Première représentation d'*En attendant Godot* à Paris. *L'Innommable* en français, *Watt* en anglais.
1954	*Waiting for Godot* à New York.
1955	*Molloy* en anglais (interdit en Irlande). *Nouvelles et textes pour rien.*
1956	*Malone meurt* en anglais. *All that fall* pour la BBC.
1957	*Fin de partie. Tous ceux qui tombent. Fin de partie* est jouée en français, d'abord à Londres, puis à Paris.
1958	*Krapp's Last Tape.* Première représentation à Londres du texte en anglais.
1959	*La Dernière bande, Cendres.*
1960	*La Dernière bande* est jouée en français.

Événements contemporains en Irlande	Événements contemporains en France
Mort de Joyce.	
	Débarquement des alliés en Afrique du nord. Les Allemands envahissent la zone sud. Camus, *l'Etranger.*
O'Casey, *Roses rouges pour moi.*	
	Libération.
	Fin de la guerre. Camus, *Caligula.*
	Le général de Gaulle quitte le pouvoir.
	Nathalie Sarraute, *Portrait d'un inconnu.* Boris Vian, *l'Ecume des jours.* Genêt, *les Bonnes.* Audiberti, *le Mal court.*
De Valera battu aux élections, remplacé par Costello.	
Achèvement de l'indépendance de la République.	Adhésion de la France au Pacte Atlantique.
Mort de Stephens et de Shaw.	Ionesco, *la Leçon.* Adamov, *la Grande et la petite manœuvre.*
	Robbe-Grillet, *les Gommes.*
	Fin de la guerre franco-vietnamienne. Début de la guerre d'Algérie.
L'Irlande membre de l'O.N.U.	
	Butor, *la Modification.*
	Emeute à Alger. De Gaulle reprend le pouvoir.
De Valera président de la République.	

Vie de Samuel Beckett	
1961	*Comment c'est. Happy Days* publié et joué à New York. Beckett reçoit la moitié du Prix international des Éditeurs.
1962	
1963	*Oh les beaux jours.* La pièce est créée à Venise, puis à Paris.
1964	*Play.* Beckett participe au tournage de *Film* dont il a écrit le scénario. La vedette est Buster Keaton.
1965	*Film* obtient à Venise le Prix de la jeune critique. *Imagination morte, imaginez; Comédie et actes divers.*
1967	
1968	
1969	*Watt* publié en français. Beckett reçoit le Prix Nobel.
1970	Publication de *Mercier et Camier* et de *Premier amour.*

L'ANNÉE 1948

Selon M. Ludovic Janvier, *En attendant Godot* aurait été écrit en 1948. C'est donc dans le cadre de cette année 1948 que nous replacerons le texte, car la date de création à la scène n'est plus pour nous qu'un accident sans intérêt.

• *Circonstances politiques*

Samuel Beckett, si loin qu'il veuille rester de la vie politique quotidienne, n'a pas pu échapper à l'atmosphère générale. Tandis que l'Irlande arrive enfin au bout de la route et que, malgré un échec électoral de Valera, elle rompt ses derniers liens avec la Grande-Bretagne en abolissant l'*External Relations Act*, ailleurs ce qui frappe c'est que la guerre s'éloigne : Staline et Truman, il est vrai, sont toujours à leur poste,

Événements contemporains en Irlande	Événements contemporains en France
	Fin de la guerre d'Algérie.
Recensement : la population a diminué de 100 000 âmes en 7 ans.	
	Sartre, *les Mots*. Char, *Commune présence*.
	André Pieyre de Mandiargues, *la Marge*.
	Grève générale de l'Université et des usines.
	G. Pompidou président de la République.
	9 novembre : mort du général de Gaulle.

mais Churchill a depuis longtemps déjà cédé la place au major Attlee, Eisenhower abandonne ses fonctions de chef d'État-major, au Japon, on fusille l'amiral Tojo. La France bourgeoise reprend figure après l'occupation et la libération. Le général de Gaulle a quitté le pouvoir, les communistes en ont été éliminés. Vincent Auriol est Président de la République, Édouard Herriot est Président de l'Assemblée nationale et entre à l'Académie française. Le MRP, les socialistes et les communistes perdent de leur influence au profit des modérés et des radicaux. La IVe République retrouve l'instabilité ministérielle de la IIIe et les travailleurs retrouvent, au milieu de grèves, de manifestations et de bagarres, leurs divisions de l'entre-deux-guerres : Léon Jouhaux prend la tête de la Centrale syndicale Force Ouvrière. Le général Weygand est relevé de l'indignité nationale. - Cependant, en Europe, les deux blocs se constituent face à face, chacun dans sa zone d'influence. Union occidentale, Conseil de l'Atlantique d'un côté, avec le relèvement de l'Allemagne de l'Ouest et l'apparition de Konrad Adenauer, avec la victoire de l'armée gouvernementale en Grèce. De l'autre côté l'URSS installe les démocraties populaires : les épisodes les plus bouleversants sont l'arrestation du cardinal Mindszenty en Hongrie, et à Prague le départ des ministres non communistes, le suicide de Jan Masaryk, la démission du Président Benès. Le signe de cet affrontement entre les USA et l'URSS est la « crise » de Berlin avec des incidents divers et le ravitaillement des zones ouest de la ville par un pont aérien. - Dans le monde se produisent des événements qu'on attendait beaucoup moins : on a beau espérer en cette année 1948 la création d'un État palestinien judéo-arabe, selon les recommandations de l'ONU, la Palestine est livrée à la violence. En Chine les communistes viennent de prendre Nankin et le régime de Tchang Kaï-Chek s'effondre. Enfin le processus de la décolonisation commence en Asie et en Afrique. Les troupes britanniques quittent l'Inde où l'assassinat de Gandhi enlève tout espoir d'union entre les Hindous et les Musulmans. Mais les Néerlandais et les Français ne sont pas prêts à abandonner leurs colonies : l'armée néerlandaise met fin à la trêve en Indonésie; la France fait prononcer deux condamnations à mort à Madagascar et surtout rompt avec Ho-Chi-Minh.

• *La vie en France*

Les Français découvrent l'usage des tubes fluorescents, du nylon, des bulldozers. Ils se font soigner avec les sulfamides et, mieux encore, avec la pénicilline. Ils se font expliquer ce qu'est la physique nucléaire, la propulsion par réaction, la maladie des enfants bleus. On leur présente les premières cuisines fonctionnelles; on leur dit qu'aux USA les jeunes gens se groupent pour regarder la télévision. Les femmes se fardent violemment : lèvres rouges et fond de teint bistre. On repose les vitraux de Chartres. Il y a un plan pour restaurer la marine marchande. Mais faute de crédits on doit freiner le plan d'équipement hydro-électrique. Les athlètes français ont été au-dessous d'eux-mêmes aux Jeux Olympiques de Londres.

• *Vie intellectuelle*

Le grand public achève de se mettre au courant des mouvements littéraires postérieurs à 1940 : roman américain, production de guerre soviétique, littérature hispano-américaine, littérature anglaise (T. S. Eliot reçoit le prix Nobel); on essaie de s'initier à l'existentialisme et on s'engoue pour le surréalisme qui, exhumé de l'autre après-guerre, ne scandalise plus guère. Le théâtre à Paris semble plein d'avenir et de vitalité, sous l'impulsion de Mlle Laurent, de la Direction générale des Théâtres. Le cinéma français ne donne pas de raison pour désespérer de lui : on attend grand bien des ciné-clubs.

UN ÉCRIVAIN IRLANDAIS EN FRANCE

Il faut replacer Samuel Beckett dans une double tradition irlandaise. Tout d'abord il ne faut pas oublier que si l'Irlande a vu naître à la fin du XIXe siècle et au début du XXe une pléiade d'écrivains parmi les plus prestigieux de l'Occident, ce pays avait été aux VIe et VIIe siècles de notre ère le foyer intellectuel de l'Europe. Ensuite, qu'un lettré irlandais soit venu s'établir en France est un fait courant au Moyen âge, et l'on connaît l'exemple illustre de Duns Scot au XIVe siècle. Or, bien qu'un Français ne le voie pas du premier coup, *En attendant Godot* expose une situation essentiellement irlandaise. Du XVIIIe au XIXe siècle, deux mondes superposés ont subsisté dans l'île : une société normale de maîtres et de serviteurs, d'oisifs et de travailleurs, de riches et de pauvres, c'est la société anglaise établie en Irlande; et au-dessous, dénués de tout sur leur terre, n'ayant aucun droit, n'exerçant aucun métier, chassés de la vie du pays, les Irlandais et aussi des Anglais assimilés. Les personnages de Vladimir et d'Estragon, réduits à l'état humain le plus simple, ne sont pas imaginaires pour un Irlandais : le couple Pozzo-Lucky fonctionne sans avoir besoin d'eux comme avait fonctionné pendant près de trois cents ans la colonie anglaise d'Irlande, rejetant au néant les Irlandais. Imperceptible pour un Français, il y a une donnée historique derrière cette situation étrange.

Comme les héros d'Homère, avant d'être des mythes, les personnages d'*En attendant Godot* ont existé. Il fallait faire cette remarque, toutefois sans en exagérer l'importance, car si la pièce a été écrite en français, destinée à un public ignorant l'histoire d'Irlande, cela veut dire que l'auteur prétend nous montrer autre chose.

BECKETT, ÉCRIVAIN FRANÇAIS, EN 1948

On ne prétend pas vous présenter l'homme Samuel Beckett en 1948, au moment où il écrit *En attendant Godot.* Le pourrait-on, on ne devrait pas le faire parce qu'il faut respecter la volonté de ceux qui refusent de divulguer leur vie privée. D'ailleurs cela n'éclairerait guère notre texte : qu'importe la santé ou l'état civil d'un auteur? Les pièces de théâtre ne sont pas produites par un homme comme les poires sont produites par un poirier. Dans le cas de Samuel Beckett, les données biographiques conduisent à de singulières incertitudes. Par exemple, à la lecture de *Molloy* et de *Malone meurt*, les amateurs d'explications psychanalytiques doivent, je suppose, entrevoir un père autoritaire, une enfance malheureuse et Dieu sait quels rapports avec sa mère; mais Samuel Beckett semble avoir eu d'excellents parents, il a fait de bonnes études et sa jeunesse n'a pas dû être plus difficile que celle du commun des mortels. Il vaut mieux, pour toutes ces raisons, renoncer à une étude psychologique.

C'est le point de sa carrière où l'écrivain est parvenu en 1948 qu'il est intéressant de connaître. Depuis 1946, Beckett est un romancier français : c'est alors qu'il a écrit directement dans notre langue *Mercier et Camier*, qu'il ne publiera d'ailleurs qu'en 1970; depuis 1947, il est également un dramaturge français, avec *Eleutheria*, inédite.

Beckett doit trouver quelque bien-être en France : en 1939, il était en Irlande et il est rentré précipitamment en France à la nouvelle de la déclaration de guerre : « Je préférais la France en guerre à l'Irlande en paix. » Ce choix provient évidemment de ce que la France est mêlée aux grands conflits qui engagent le sort de l'homme sur la planète. Mais il prouve aussi davantage, car Beckett savait qu'il prenait des risques en passant la guerre en France. Après la défaite, il a participé à la résistance, a dû fuir la Gestapo : Beckett n'est pas associé aux Français du bout des lèvres. Mieux encore, cet attachement a résisté à certaines épreuves : il ne semble pas que l'accueil des habitants du Vaucluse à ces réfugiés parisiens ait été fort chaleureux : nous avons une étude sociologique sur la question, et il n'y a pas eu intégration d'un groupe dans l'autre. Beckett n'en a pas été pour autant dégoûté des Français. Il est resté en France après la guerre. En 1948, il a dû partager l'état d'esprit des Français : l'amélioration des conditions matérielles de la vie n'est pas toute bénéfique. On redevient attentif au confort ; gagner de l'argent n'est plus purement scandaleux comme au temps du marché noir triomphant. Les Français se retrouvent doucement esclaves des objets : automobile, réfrigérateur, chaudière du chauffage central. L'espoir de la Libération en un monde plus juste et plus libre s'effondre. C'est dans cette atmosphère déprimante qu'est né *En attendant Godot*.

Les raisons pour lesquelles Beckett s'est mis à écrire en français sont plus faciles à deviner. Notre langue maternelle subit en nous une usure qui nous empêche souvent d'en voir les merveilles. Voici que l'Irlandais de langue anglaise Beckett entend avec une oreille neuve une langue littéraire riche, élaborée, prestigieuse ; pour lui la saveur du français reste surprenante. Ce qui séduit Beckett, c'est de transposer par écrit le français populaire qu'il n'a pas appris au collège, mais qui lui semble plus vrai parce qu'il l'entend dans les rues, dans le métro, au bistrot. *Mercier et Camier* est aux trois quarts dialogué : « Si on s'assoyait, cela m'a vidé. - Tu veux dire s'asseyait, dit Mercier. - Je veux dire s'assoyait, dit Camier. - Assoyons-nous, dit Mercier », et plus loin : « Et le rendez-vous était pour quelle heure, selon toi ? dit Mercier. - Pour le quart de neuf heures, dit Camier. - Je ne comprends pas, dit Mercier. - Que ne comprends-tu pas ? dit Camier. - Ce que ça veut dire, le quart de neuf heures, dit Mercier. - Ça veut dire neuf heures quinze minutes, dit Camier. » Français à la fois populaire et correct, français véritable, quelle joie pour l'amateur de langage ! Tel est le point de départ de Beckett écrivain français.

En 1948, Beckett est déjà l'auteur, tant en anglais qu'en français, de *Murphy*, de *Watt*, de *Mercier et Camier* et de quelques textes plus courts. Il compose *Molloy*, *Malone meurt*, et enfin *En attendant Godot*. L'année 1948 est une année de grande fécondité pour Beckett, et c'est celle où il atteint sa maturité d'écrivain. Un écrivain est un homme qui se pose un problème et qui écrit un ouvrage non pas pour résoudre, mais pour explorer ce problème. Cependant qu'il écrit, l'exploration du problème déplace la question : la réponse amène une question nouvelle; en sorte que lorsque l'écrivain a fini son manuscrit « il se retrouve gros Jean comme devant » en un certain sens, n'ayant éclairé un point que pour apercevoir une obscurité nouvelle; et il ne lui reste plus qu'à entreprendre un ouvrage nouveau. C'est sur cette chaîne de questions, sur la chaîne des questions propres à Samuel Beckett qu'il nous faut situer *En attendant Godot*.

Jusqu'à *Malone meurt*, tous les « héros » de Beckett entreprennent un voyage, voyage dont le but n'est pas bien défini aux yeux de celui qui l'entreprend, car il s'agit d'une « quête », c'est-à-dire de la poursuite d'un objet inconnu : si cet objet était connu, il serait déjà trouvé; par exemple, quand je me mets en quête d'un taxi, je ne connaîtrai sa couleur, son modèle et la tête du chauffeur que lorsque je l'aurai découvert. Quoi qu'il en soit de l'objet, vivre, c'est chercher. Dès *Watt* le voyage fait surgir le thème du chemineau, de l'homme démuni de tout, sans âge, qui erre le long des routes. Les héros jeunes et ayant, comme on dit, une femme dans leur vie disparaissent à jamais avec Murphy car Hélène et Thérèse de *Mercier et Camier* ne sont que des comparses. Le chemineau est célibataire. Signalons, pour mémoire, que le héros peut être également une sorte de policier comme Moran, ou de détective privé, comme Mercier et Camier; il ne restera rien de ce genre de périples dans *En attendant Godot*. - Mais en même temps les héros de Beckett ont un invincible besoin de se tenir en repos pour éliminer l'accidentel de leur existence. Murphy, le plus ingambe des personnages beckettiens, va d'un rocking-chair sur lequel il s'est lié à un galetas difficile d'accès où il s'asphyxiera au moyen du radiateur à gaz. Watt sera longtemps enfermé dans la maison de M. Knott. Et même Mercier qui s'est donné beaucoup de mouvement en compagnie de Camier finit par s'arrêter sur un banc pour écouter les bruits de la nuit et pour regarder la pluie sur le canal. Le chemineau a tendance à devenir un clochard, plus sédentaire. Moran, dans la seconde partie de *Molloy*, est chargé d'une enquête et représente encore le héros voyageur, mais Molloy lui-même est infirme et ne se déplace plus qu'avec une lenteur extrême. L'évolution s'accomplit avec Malone qui ne quitte plus son lit. On voit où en sont les personnages d'*En attendant Godot :* Vladimir est alerte, Estragon a mal aux pieds et c'est au cours de la pièce que Pozzo et Lucky deviendront à peu près impotents; toutefois il est clair que Vladimir et Estragon ne vont pas loin entre les deux actes. Ce qu'il nous faut noter, c'est que Vladimir et Estragon sont des chemineaux arrêtés au bord de la route : Beckett est passé du thème de la quête errante au thème de l'attente, soit que la nécessité de la mise en scène lui ait imposé ce changement, soit que le changement de thème lui ait permis d'aborder le théâtre. Au moment où les ouvrages de Beckett vont cesser de représenter l'aspiration vers un objet lointain, *En attendant Godot* donne de cette aspiration un tableau passif et non plus actif.

En effet, les premières œuvres de Beckett ont fait surgir une question beaucoup plus urgente et qui aurait dû venir d'abord : il s'agit de savoir qui est cette personne en train de chercher. Mais c'est seulement en 1948 que cette question prend le pas sur les autres dans *Molloy*, et dans *Malone meurt*. En réalité l'ordre que suit Beckett dans la rencontre des questions est parfaitement normal pour un romancier ou pour un dramaturge : il remonte le cours logique des problèmes, en partant des réflexions simples que provoque la vie quotidienne. Cependant le changement de préoccupation se traduit par un changement de présentation. S'il se demande qui cherche, l'auteur ne va plus nous décrire les faits et gestes de celui qui cherche, mais va essayer de nous faire connaître ce qui se passe dans le crâne du chercheur. Le plus commode alors est de faire parler le personnage; Molloy commence par la phrase suivante : « Je suis dans la chambre de ma mère » et tout le roman sera à la première personne. Ce choix dans la technique du roman entraîne un certain nombre de conséquences. D'abord c'est l'essentiel du personnage qu'il faut atteindre. Ensuite se posent quelques problèmes nouveaux : qui parle quand nous lisons « je » dans le roman? à qui parle ce « je »? et en quel lieu se fait entendre cette voix? Disons tout de suite que ni dans *Molloy*, ni dans *Malone meurt*, la question de l'auditeur n'est résolue. Mais dans ces deux romans apparaît le thème de la chambre où celui qui parle est enfermé. Quant à la première des trois questions, qui parle? elle est dans un roman la source d'innombrables difficultés.

C'est à ce moment que Beckett se tourne vers le théâtre.

NAISSANCE DU DRAMATURGE

La première question qui se pose, si l'on veut comprendre une œuvre littéraire, est celle-ci : pourquoi l'auteur a-t-il choisi un genre plutôt qu'un autre? pourquoi a-t-il écrit une pièce de théâtre? plutôt qu'un essai ou un poème? On oublie trop souvent ce fait très simple qu'un scénario de film, par exemple, ne peut pas être porteur du même « message » qu'un roman ou un drame destiné à la scène. Pourquoi donc le romancier Beckett s'est-il fait dramaturge en 1948? Dans le cas qui nous occupe nous n'avons pas besoin de nous lancer dans l'étude des différences entre les divers genres qui s'adressent à un lecteur solitaire, parcourant des yeux un texte imprimé. Il nous suffit de considérer ceci : le moyen matériel par lequel le public prend connaissance de l'œuvre n'est pas le même lorsqu'il s'agit d'un roman et lorsqu'il s'agit d'une pièce de théâtre. D'un côté on a affaire à une feuille de papier couverte de caractères d'imprimerie qu'on lit à voix basse; de l'autre des hommes et des femmes en chair et en os parlent et agissent dans une portion de l'espace qui tombe sous nos sens. Or, Samuel Beckett, presque fatalement, devait avoir besoin un jour d'une scène de théâtre. - Depuis que ses œuvres sont la transcription d'une voix, tous ses romans sont fondamentalement en porte-à-faux : dans *Murphy*, dans *Watt*, nous devons nous contenter d'un texte traditionnel, nous sommes invités à lire un roman dont le style écrit imite la parole; dès le XVIIIe siècle, Diderot avait cherché à donner l'illusion de l'oral dans *le Neveu de Rameau* ou dans *Jacques le Fataliste*. Mais dès que le roman sera écrit à la 1re personne, c'est-à-dire dès *Molloy*, l'auteur avoue que ce long monologue n'est pas parlé, mais est écrit, et souligne les inconvénients de cette contradiction, car si je dis « Il pleut », ma phrase n'a de sens que s'il pleut, tandis que l'écrivain, en écrivant « Il pleut », ne veut pas dire qu'il pleuve au moment où il écrit, ni au moment où le lecteur lira « Il pleut » : l'orateur et son auditeur vivent dans le même présent, ce qui n'est pas vrai de l'écrivain et de son lecteur. De *Molloy* à *Malone meurt*, la difficulté reste la même, au moins je le crois. C'est alors que Beckett compose *En attendant Godot*, la première pièce qu'il cherchera à publier et à faire jouer. La voix ou les voix imaginaires deviennent pour le spectateur les voix des acteurs, et quand Estragon dit : « Aide-moi à enlever cette saloperie », ou : « Je me déchausse », le spectateur n'a pas besoin de faire parler en lui une voix imaginaire, il entend la voix réelle de l'acteur et le présent de l'indicatif est un présent pour celui qui émet la phrase et pour celui qui la reçoit. Le texte écrit ne singe plus un texte parlé, il est réellement parlé.

En outre, nous avons déjà dit que, si l'écrivain dans ses œuvres veut faire entendre une voix, le roman doit être écrit à la première personne du singulier; cela découle de la définition même de la première personne en grammaire. A partir de *Molloy*, donc, tous les romans de Beckett sont écrits à la première personne. C'est alors que surgit une nouvelle difficulté : si le romancier, pour une raison ou pour une autre, veut mettre plusieurs voix dans son roman, il va lui falloir insérer plus ou moins habilement dans son texte des explications destinées à informer le lecteur de ce changement de voix; une explication est toujours lourde et pénible : « Je m'appelle Moran, Jacques. On m'appelle ainsi », dit la seconde voix de *Molloy* (p. 142). Le théâtre rend ce genre de précisions astucieuses inutile. L'acteur est là, sa voix sort de son corps que le spectateur identifie immédiatement, sans que l'auteur ait à faire le moindre discours; il n'est même pas nécessaire que le spectateur sache qu'Estragon s'appelle Estragon, et nous avons déjà remarqué qu'il quittera la salle du théâtre sans nous l'avoir appris. Notons au passage que c'est pour un Samuel Beckett un premier avantage d'avoir pris comme personnages des clochards : Néron ou Titus sont bien plus que de simples voix dans une tragédie de Racine, le public du XVIIe siècle voyait en eux des héros prestigieux; Vladimir et Estragon restent n'importe qui; ce sont des êtres qui parlent, rien de plus.

Voici une autre raison pour Beckett d'utiliser la forme dramatique. En fait toute son œuvre tend à montrer que si nous cherchons à répondre à la question « Qui suis-je? », la personne humaine se confond avec ce « je », sujet de certains verbes privilégiés. Notre vie n'est qu'un incessant monologue; si ce monologue est interrompu, nous disons que nous avons perdu conscience ou connaissance, c'est le sommeil, la syncope ou la mort. Je ne puis vous montrer ici comment Beckett en est venu à ces conceptions. Mais vous voyez facilement combien la forme dramatique s'accorde avec elles. Le théâtre est un genre artistique où la parole est indispensable : l'acteur qui ne parle pas est un mime. Ce que l'auteur livre à la troupe théâtrale, n'est qu'une suite de phrases; c'est la fonction du metteur en scène et des acteurs de créer des personnages capables de prononcer sans invraisemblance des discours imaginés par l'auteur. Au théâtre donc, comme pour Beckett, il y a d'abord un écoulement continu de paroles; à la limite, quand le personnage de théâtre se tait, il n'existe plus. Dans *En attendant Godot*, dès le début, Vladimir raconte à Estragon l'histoire des larrons parce que « Ça passera le temps » (p. 17); après le départ de Pozzo et de Lucky, Estragon propose : « Faisons un peu de conversation » (p. 81). Mais le plus net, c'est à l'acte II l'exercice qui commence avec ces mots d'Estragon : « En attendant, essayons de converser sans nous exalter » (p. 105); les silences provoquent l'angoisse chez Vladimir : « Dis quelque chose! » (p. 106), « Dis n'importe quoi » *(ibidem)*, et quand le dialogue marche un peu mieux, Estragon s'écrie avec soulagement : « C'est ça, contredisons-nous » (p. 107), ou : « C'est ça, posons-nous des questions » (p. 108); pour finir, Estragon proclame : « Ce n'était pas si mal notre petit galop » (p. 109). Bref, Vladimir et Estragon sont des personnages de théâtre, si ennemis du silence qu'Estragon en vient à dire : « C'est ça, engueulons-nous » (p. 127); tout vaut mieux que de se taire.

Tout irait bien et les « héros » de Beckett auraient trouvé dans le théâtre un monde à leur convenance s'ils ne se lassaient assez vite des meilleurs sujets de conversation : « Je commence à en avoir assez de ce motif » (p. 141), dit Vladimir, et Estragon, quelques instants plus tard : « Passons maintenant à autre chose, veux-tu? » (p. 142). C'est que Vladimir et Estragon sont bien d'accord avec le spectateur sur un point : vivre, pour un être humain, c'est agir. Voyant à l'acte II que Pozzo et Lucky ont besoin de secours, Vladimir prend une résolution : « Ne perdons pas notre temps en de vains discours. *(Un temps. Avec véhémence.)* Faisons quelque chose, pendant que l'occasion se présente! Ce n'est pas tous les jours qu'on a besoin de nous » (pp. 133-134). Mais bien vite notre homme se bornera à disserter sur les motifs de l'action : « Il est vrai qu'en pesant, les bras croisés, le pour et le contre, nous faisons également honneur à notre condition [d'hommes]. Le tigre se précipite au secours de ses congénères sans la moindre réflexion. Ou bien il se sauve au plus profond des taillis. Mais la question n'est pas là » (p. 134). *En attendant Godot* est une pièce où il ne se passe jamais rien. L'arrivée de Pozzo et de Lucky au Ier acte est un événement; mais après leur départ, le spectateur s'aperçoit que Pozzo et Lucky ont fait des discours, que Pozzo, Vladimir et Estragon ont bavardé, rien de plus : Pozzo et Lucky ont meublé le silence au moment où les deux autres n'avaient plus rien à se dire. Au IIe acte, c'est bien pour cela que Vladimir et Estragon sont heureux de revoir le couple du maître et du serviteur : « Ça tombe à pic », dit Vladimir (p. 130). « Nous commencions à flancher. » Vladimir et Estragon sont voués à n'avoir jamais d'autre activité que la parole : si l'un dit « Qu'est-ce que je dois faire? » (p. 123), l'autre répond « Engueule-moi », c'est-à-dire une fois de plus : « Parle! »

En fin de compte, puisqu'on ne peut y échapper, la parole est bien une malédiction. Pendant le déroulement d'*En attendant Godot*, des silences sont possibles; ils sont angoissants, mais enfin ils existent. Dans *Oh les beaux jours*, Winnie ne pourra plus se taire. En réduisant l'actrice à un buste, puis à une tête, l'auteur s'obligera à la faire bavarder sans autres interruptions que les repos nécessaires au rythme d'un monologue. C'est alors seulement que Beckett amènera le spectateur à désirer un silence impossible. Certes la condition de Vladimir et d'Estragon est déjà grotesque : ils font des phrases. Toutefois, la règle du jeu dramatique dans *En attendant Godot* n'a pas que des avantages pour Beckett : en l'acceptant, en montrant sans cesse la personne physique des acteurs, notre auteur manque un de ses buts essentiels : quand ils se taisent, Vladimir et Estragon ne sont pas anéantis puisque leurs corps restent visibles. Dans *Oh les beaux jours*, Beckett remédiera autant que faire se peut à cet inconvénient.

Mais le genre dramatique retrouve pour Beckett d'incontestables avantages du fait qu'une pièce de théâtre se joue évidemment sur une scène, et même une scène dite à l'italienne, c'est-à-dire la scène que vous connaissez dans presque tous les théâtres, séparée de la salle par un rideau, une rampe et un encadrement architectural. S'il y a un thème constant dans l'œuvre de Beckett, c'est celui de la chambre close où est enfermé un être solitaire. C'est la crypte de *Mercier et Camier*, la chambre où meurt Malone, celle où agonise Molloy, etc. On ne sait pas grand-chose de ce qui se passe au-delà des murs de cette chambre. Le lieu scénique lui aussi dispense l'auteur de longues explications : il donne à voir ce que le roman ne peut que décrire. La plus parfaite représentation de la chambre beckettienne se trouve dans *Fin de partie :* Hamm ne peut en sortir et seul Clov nous donnera de vagues indications sur le monde extérieur en regardant par deux lucarnes difficiles d'accès. Des voix ou une voix se font entendre quelque part, c'est le résumé de presque toutes les œuvres de Beckett; c'est la définition même du théâtre. Dans *En attendant Godot*, la scène n'est pas censée représenter un lieu clos, c'est un tronçon de route; les quatre personnages ne sont pas toujours en scène puisque Pozzo et Lucky surgissent et s'évanouissent, puisque Vladimir n'est pas là au début du Ier acte ni Estragon au début du IIe; mais ce tronçon de route se trouve sur un plateau cerné de toutes parts par des précipices; et Vladimir et Estragon n'en sortent pas volontiers, refoulés vers la scène par la peur; bref, ce qui est hors de la vue du spectateur n'a qu'une existence vague, et tout ce que nous en saurons, c'est qu'il en vient des hurlements épouvantables et qu'Estragon y est battu. - Voilà une dernière raison, et non la moindre, pour que Beckett ait été tenté par le théâtre.

La création des personnages 3

Voilà donc Samuel Beckett auteur dramatique, faisant parler des personnages sur une scène. Il saute aux yeux que ces personnages se répartissent en deux couples : Vladimir-Estragon d'une part et Pozzo-Lucky d'autre part.

POZZO ET LUCKY

Le couple Pozzo-Lucky ne prête guère à controverse : c'est le couple du maître et du serviteur. Remarquons tout de suite qu'ils s'opposent à Vladimir et à Estragon en ce sens que, comme nous le verrons, ces derniers n'ont à peu près aucun lien avec d'autres qu'eux-mêmes, tandis que de Pozzo et de Lucky nous ne saurons rien en dehors des rapports qu'ils ont avec autrui. Ils sont des hommes considérés dans leurs relations sociales. Le mot « humanité » a bien des sens, mais c'est à l'homme en société que pense Estragon lorsqu'il dit de Pozzo : « C'est toute l'humanité » (p. 142); Pozzo vient de répondre successivement aux noms d'Abel et de Caïn. Or le couple Abel-Caïn est l'embryon symbolique de toute société : ceux qui sont bénis de Dieu et ceux qui sont maudits, ceux qui n'ont qu'à se louer de leur sort et ceux qui n'ont qu'à s'en plaindre. Estragon veut dire que chacun de nous se considère à la fois comme Abel et comme Caïn; le Français moyen est Abel par comparaison avec le Smigard chargé de famille, et il est Caïn par comparaison avec le PDG d'une grosse banque. — Pozzo et Lucky sont inséparables. Quand on y réfléchit, on s'aperçoit que le lien le plus solide qu'il y ait entre eux vient justement de ce que Pozzo ne peut se passer de la présence d'autrui : « Voyez-vous, mes amis, je ne peux me passer longtemps de la société de mes semblables » (p. 38), et ailleurs : « Plus je rencontre de gens, plus je suis heureux. Avec la moindre créature on s'instruit, on s'enrichit, on goûte mieux son bonheur » (p. 46). Pozzo ne peut rien faire sans témoin : s'il doit parler, il exige que tout le monde le regarde : « Je n'aime pas parler dans le vide » (p. 48). Il en vient à ne pouvoir agir sans penser d'abord à l'effet que produiront ses actions sur les autres, ce qui lui suscite des difficultés et de faux problèmes : s'agit-il de se rasseoir après s'être levé, Pozzo ne peut le faire simplement : « Comment me rasseoir maintenant avec naturel, maintenant que je me suis mis debout? Sans avoir l'air de - comment dire - de fléchir? » (p. 44), scrupule qui aboutit à tout un cérémonial : « J'aimerais bien me rasseoir, mais je ne sais pas comment m'y prendre. / ESTRAGON. Puis-je vous aider? / POZZO. Si vous me demandiez, peut-être. / E. Quoi? / P. Si vous me demandiez de me rasseoir. / E. Ça vous aiderait? / P. Il me semble. / E. Allons-y. Rasseyez-vous, monsieur, je vous en prie. / P. Non, non, ce n'est pas la peine. *(Un temps. A voix basse.)* Insistez un peu. / E. Mais voyons, ne restez pas debout comme ça, vous allez attraper froid. / P. Vous croyez? / E. Mais c'est absolument certain. / P. Vous avez sans doute raison. *(Il se rassied.)* Merci, mon cher. Me voilà réinstallé » (pp. 58-59). Ainsi on aboutit aux minauderies de la politesse mondaine, la politesse n'étant rien d'autre que pure relation entre des personnes. Cependant vous avez déjà pu vous apercevoir que si Pozzo n'a point d'existence dès qu'il n'est pas en relation avec autrui, ces relations sont viciées par le fait que Pozzo ne se soucie pas de rien donner à autrui; il lui suffit justement qu'autrui constate la présence d'un nommé Pozzo; pour lui, les autres ne sont que des témoins. Lorsque Pozzo adresse un discours à des gens qui sont là, il ne cherche pas à leur apprendre quoi que ce soit, ni à les persuader de quoi que ce soit : ce qui lui importe, c'est le jugement de valeur qu'on portera sur ses qualités d'orateur : « Comment m'avez-vous trouvé? *(Estragon et Vladimir le regardent sans comprendre.)* Bon? Moyen? Passable? Quelconque? Franchement mauvais? / VLADIMIR *(comprenant le premier).* Oh très bien, tout à fait bien. / POZZO *(à Estragon).* Et vous, monsieur? / ESTRAGON *(accent anglais).* Oh très bon, très très très bon. / P. *(avec élan).* Merci, messieurs! *(Un temps).* J'ai tant besoin d'encouragement » (p. 62). Pozzo donne des ordres, demande ce dont il a besoin, s'informe de ce qui lui est utile; enfin il peut chercher à provoquer la pitié ou l'admiration, soit qu'il se lance dans des rhapsodies de vague poésie destinée à provoquer un sentiment esthétique (thèmes : la nuit, le coucher de soleil, le firmament), soit qu'il se plaigne d'être trop bon avec Lucky. L'incohérence des propos de Pozzo s'explique alors très facilement : Pozzo n'est guidé que par le besoin immédiat d'un effet à produire. Après avoir persuadé à Vladimir et à Estragon que Lucky le fait souffrir, et avoir gémi, il se reprend : « Messieurs, je ne sais pas ce qui m'est arrivé. Je vous demande pardon. Oubliez tout ça. *(De plus en plus maître de lui).* Je ne sais plus très bien ce que j'ai dit, mais vous pouvez être sûrs qu'il n'y avait pas un mot de vrai là-dedans. *(Se redresse, se frappe la poitrine.)* Est-ce que j'ai l'air d'un homme qu'on fait souffrir, moi? Voyons! » (pp. 55-56). Pozzo ne tient ni à ce qu'il dit ni à ce qu'il fait, c'est un personnage qui n'a pas de centre, qui vit selon ses intérêts du moment. Pourtant il faut ajouter que ce besoin de vivre devant autrui ne rend pas compte tout à fait des liens qui unissent Pozzo à Lucky; certes au moment où il va parler, Pozzo exige que Lucky le regarde : « Tout le monde y est? Tout le monde me regarde? *(Il regarde Lucky, tire sur la corde. Lucky lève la tête.)* Regarde-moi porc! *(Lucky le regarde.)* Parfait » (p. 48); mais Lucky est un témoin insignifiant; en sa compagnie, Pozzo a le sentiment d'être seul, car l'esclave existe ou n'existe pas selon la fantaisie du maître. Un peu après son entrée en scène, il fait à Estragon et à Vladimir cette étonnante confidence : « Voyez-vous, la route est longue quand on chemine tout seul pendant... *(il regarde sa montre)*... pendant... *(il calcule)*... six heures, oui, c'est bien ça, six heures à la file, sans rencontrer âme qui vive » (p. 37).

Ce qui est nécessaire à Pozzo, c'est de pouvoir se comparer à chaque instant avec un être déchu, en sorte que plus il humilie son serviteur, plus il le réduit à n'être rien, plus la différence entre Lucky et lui est à son avantage. Pozzo n'existe pas assez par lui-même pour se passer de la présence d'un inférieur qui le fait croire à sa supériorité.

Nous n'avons pas encore parlé de Lucky. Il a cependant beaucoup plus de consistance que Pozzo; il tient tout entier dans cette formule : il travaille pour un autre, c'est-à-dire pour Pozzo. Le monde de Pozzo et de Lucky est un monde simple et bien organisé : l'un travaille, l'autre jouit des fruits de ce travail, sans qu'il y ait jamais la moindre confusion dans cette répartition; Pozzo ne fait jamais rien, Lucky ne jouit jamais de rien. Le trait le plus frappant en Lucky, c'est qu'il ne conteste nullement ce partage. Il est un serviteur idéal, un serviteur à l'état chimiquement pur, ne concevant pas d'autre sort pour lui que celui de serviteur. Sa seule révolte surviendra lorsqu'Estragon voudra lui témoigner quelque pitié : Lucky voit dans la commisération d'Estragon un blâme envers son maître; on s'interpose entre son maître et lui, et il décoche un violent coup de pied dans le tibia d'Estragon. Cela nous explique pourquoi, lors de l'arrivée en scène de Pozzo et de Lucky, Lucky avait rendu à Pozzo le fouet que Pozzo lui avait confié un moment. Le travail de Lucky est d'ailleurs conçu au sens le plus large : nous le voyons d'abord sous les apparences du plus humble des travailleurs manuels, mais Pozzo nous apprend qu'il est aussi un travailleur intellectuel : il est artiste, il chante, il danse; il est moraliste, il rendait Pozzo meilleur autrefois; il est philosophe, il pense, ou plutôt il expose la pensée dans un discours. Que l'on relise l'admirable tirade qui commence par « Étant donné l'existence telle qu'elle jaillit des récents travaux [...] » (pp. 71 à 75), et tout ce fatras scientifico-philosophique; c'est la caricature d'un cours à la Sorbonne. Pour le travailleur intellectuel Lucky, désireux d'être utile à la société, penser c'est gérer et transmettre les idées et les connaissances utiles à la société; c'est exactement ce que devrait être le rôle de l'Université dans notre monde si tout allait bien, si les universitaires étaient aussi dociles que Lucky. En dehors de ses fonctions de travailleur, Lucky n'existe pas : dès qu'il cesse de porter les bagages, ou de danser, ou de penser, il s'enfonce dans un sommeil comateux, et il ne revient à la vie que lorsqu'on le remet au travail. Voici comment on peut le réveiller : les trois autres viennent de l'assommer pour le faire taire, il ne peut plus se tenir debout : « *Ils mettent Lucky debout, le soutiennent.* / POZZO. Ne le lâchez pas! *(Estragon et Vladimir chancellent.)* Ne bougez pas! *(Pozzo va prendre la valise et le panier et les apporte vers Lucky.)* Tenez-le bien! *(Il met la valise dans la main de Lucky qui la lâche aussitôt.)* Ne le lâchez pas. *(Il recommence. Peu à peu, au contact de la valise, Lucky reprend ses esprits et ses doigts finissent par se resserrer autour de la poignée.)* Tenez-le toujours! *(Même jeu avec le panier.)* Voilà, vous pouvez le lâcher. *(Estragon et Vladimir s'écartent de Lucky qui trébuche, chancelle, ploie, mais reste debout, valise et panier à la main. Pozzo recule, fait claquer son fouet.)* En avant! *(Lucky avance.)* Arrière! *(Lucky recule.)* Tourne! *(Lucky se retourne.)* Ça y est, il peut marcher » (pp. 76-77). Quant à lui, Pozzo, il se contente de déjeuner, tout seul, en abandonnant les os à qui voudra. Il consomme, il profite et il donne des ordres. - Pozzo et Lucky sont inséparables, comme Vladimir et Estragon. D'ailleurs leur attachement l'un à l'autre ne peut se justifier; pour Lucky, c'est évident, car on se demande pourquoi Lucky pleure quand Pozzo veut le vendre : Pozzo le bat, l'injurie, l'affame, l'écrase sous la charge d'une lourde valise pleine de sable, l'étrangle et lui met la chair du cou à vif avec une corde. Mais à la réflexion Pozzo n'a pas plus de raison sérieuse, autre que la raison de vanité dont nous avons parlé, pour s'encombrer de la présence d'un être qu'il accuse de puer, d'être lâche et ingrat, etc.; il serait plus simple qu'il porte lui-même son pliant et son déjeuner, puisque ce sont les seuls services réels que lui rend Lucky; le jeu n'en vaut pas la chandelle. A vrai dire, le lien qui unit Estragon et Vladimir n'est pas plus raisonnable, mais il y a entre les deux clochards une tendresse, et aussi la conscience claire que leur union est absurde, alors que Pozzo vit dans la haine et dans l'inconscience, car jamais il ne s'interroge sur la légitimité de ses rapports avec Lucky. - Ajoutons pour finir que, mettant en scène le couple du maître et du serviteur, Beckett doit penser à une société bourgeoise : le rang de Pozzo n'est pas héréditaire, mais individuel : « POZZO. Remarquez que j'aurais pu être à sa place et lui à à la mienne. Si le hasard ne s'y était pas opposé. A chacun son dû » (p. 50), et l'on reconnaît à Lucky des droits, dont on peut constater qu'il n'use pas, sans se demander s'il a la possibilité de le faire : « Pourquoi ne se met-il pas à son aise? Essayons d'y voir clair. N'en a-t-il pas le droit? Si. C'est donc qu'il ne veut pas? Voilà qui est raisonné » (p. 49).

Les rapports entre Vladimir et Estragon sont peut-être absurdes, mais ceux qui existent entre Pozzo et Lucky ne sont que des sottises douloureuses, symbolisées par la corde qui va de la main de Pozzo au cou de Lucky. Beckett ne se contente pas de la constatation de ces sottises : *En attendant Godot* attire notre attention sur une absurdité supplémentaire. C'est que ni Vladimir ni Estragon ne s'étonnent du sort de Lucky : « VL. Regarde-moi ça ! / E. Quoi ? / VL. *(indiquant)*. Le cou. / E. *(regardant le cou)*. Je ne vois rien. / VL. Mets-toi ici. / *Estragon se met à la place de Vladimir*. E. En effet. / VL. A vif. / E. C'est la corde. / VL. A force de frotter. / E. Qu'est-ce que tu veux ? / VL. C'est le nœud. / E. C'est fatal. [...] E. Il bave. / VL. C'est forcé. [...] VL. Il halète. / E. C'est normal » (pp. 39 à 41). Alternativement Estragon et Vladimir trouvent tout naturel l'état de Lucky : ce qui est habituel dans l'ordre d'une société finit par ne plus susciter aucune surprise; le grand mot est prononcé par Estragon, « c'est normal »; il est normal que l'esclave qui a une corde au cou ait le cou écorché, et qu'il halète puisqu'il porte une charge trop lourde. Ainsi Beckett nous invite à réfléchir sur le problème de savoir si ce qui est habituel dans le monde où nous vivons n'est pas scandaleux quand on y pense.

VLADIMIR ET ESTRAGON

Passons maintenant au couple Vladimir-Estragon. A première lecture on pourrait confondre ces deux personnages. Je dis bien à première lecture, car au théâtre le metteur en scène nous présente deux rôles fort différents, pour peu qu'il sache son métier. Que représentent-ils donc tous deux ? Dans quelle mesure s'opposent-ils à l'équipe Pozzo-Lucky ? Et comment s'opposent-ils entre eux ? Tels sont les problèmes que nous devons essayer d'éclaircir.

A vrai dire, la première question nous obligera à parler de la valeur symbolique des deux héros. Cette recherche des symboles dans ses créatures est sans doute ce qui irrite le plus Samuel Beckett; mais comme la plupart du public se laisse glisser sur cette pente de la symbolique, je ne puis éviter ce sujet.

Vladimir et Estragon sont évidemment des doublets. La présence d'un tiers, Pozzo par exemple, met en évidence à quel point leur condition est la même, malgré quelques nuances dans leurs attitudes. D'ailleurs Pozzo ne les distinguera guère l'un de l'autre. Tous deux attendent Godot, et ils sont confondus dans un même désespoir et dans un même malheur. Cependant le texte ne laisse aucun doute, Vladimir et Estragon sont des hommes. Entendons-nous bien : ils ne sont pas l'Homme, ils n'incarnent pas l'Humanité, ils ne sont pas des figures visibles d'une essence métaphysique; ils restent Estragon et Vladimir. Mais à plusieurs reprises, Vladimir dit clairement que son compagnon et lui se voient comme des représentants de l'espèce humaine. Presque au début du Ier acte, nous trouvons la réflexion suivante : « Voilà l'homme tout entier, s'en prenant à sa chaussure alors que c'est son pied le coupable » (p. 15). Plus clair encore le passage suivant, qui fait suite à celui que nous citions plus haut : on a appelé au secours, « L'appel que nous venons d'entendre, dit Vladimir, c'est plutôt à l'humanité tout entière qu'il s'adresse. Mais à cet endroit, en ce moment, l'humanité c'est nous, que ça nous plaise ou non. Profitons-en, avant qu'il soit trop tard. Représentons dignement pour une fois l'engeance où le malheur nous a fourrés » (p. 134) et il parle de faire honneur à leur condition, c'est-à-dire évidemment la condition humaine.

Nous avons déjà vu que Pozzo, sinon Lucky, était aussi un homme. Mais l'humanité de Vladimir et d'Estragon est tout autre. Il y a dans la manière dont Beckett traite les deux couples une différence subtile, mais importante. Estragon et Vladimir jugent les faits et gestes des deux autres selon un code de valeurs morales. Pozzo vient de dire, parlant de Lucky : « J'espère qu'il ne va pas me faire la blague de tomber malade », propos qui montre un égoïsme assez scandaleux. Vladimir éclate : « C'est une honte ! », et il s'explique : « Traiter un homme *(geste vers Lucky)* de cette façon... je trouve ça... un être humain... non... c'est une honte ! » (p. 43). Et inversement, lorsque Pozzo aura gémi sur la méchanceté de Lucky, ce même Vladimir dira à Lucky : « Comment osez-vous? C'est honteux ! Un si bon maître ! Le faire souffrir ainsi ! Après tant d'années ! Vraiment ! » (p. 55). Naturellement cette morale est dérisoire, Vladimir a tort : Pozzo n'est pas égoïste et Lucky n'est pas méchant, Lucky est un homme qui sert et Pozzo un homme qui se fait servir. Tout est dans leur situation réciproque. Or, il est remarquable que jamais les actions de Vladimir et d'Estragon ne sont les objets d'un jugement moral au cours de la pièce. C'est que les problèmes moraux n'apparaissent qu'avec la vie sociale : même nos devoirs envers nous-mêmes n'existeraient pas dans la solitude absolue. C'est la preuve qu'à travers Vladimir et Estragon, ce que veut atteindre Beckett, c'est l'homme dépouillé des attributs qu'ajoute la vie sociale, l'homme réduit à lui-même avant tous rapports avec d'autres. On voit bien que c'est de cette humanité toute pure qu'il est question lorsque, dans le IIe acte, les quatre personnages étant tombés à terre, incapables de se remettre debout, Vladimir répond : « Nous sommes des hommes » à Pozzo qui demandait : « Qui êtes-vous ? » C'est aussi le sens de simple appartenance à l'espèce humaine que nous trouvons au Ier acte, lors de la première rencontre entre Pozzo et nos deux « héros ». Pozzo doit se rendre à l'évidence : « Vous êtes bien des êtres humains cependant. *(Il met ses lunettes.)* A ce que je vois. *(Il enlève ses lunettes.)* De la même espèce que moi. *(Il éclate d'un rire énorme.)* De la même espèce que Pozzo ! D'origine divine ! » Il ne faut pas s'étonner de voir que Pozzo hésite d'abord à reconnaître la qualité d'hommes à Vladimir et à Estragon : dans une société sans caste, disons par exemple dans une société bourgeoise, les maîtres sont partagés entre le désir d'affirmer qu'ils sont supérieurs de naissance et l'obligation de reconnaître la communauté universelle des hommes. Pozzo se trouve évidemment dans cet état d'esprit contradictoire. - Laissons de côté pour l'instant la question de savoir si l'étude de cet homme en soi est bien intéressante, et aussi la question de savoir si Beckett trouve ou non que cette étude en vaut la peine. Misérables, impuissants, sans courage ni lucidité, bavards inutiles, voilà Vladimir et Estragon qui sont des hommes.

Reste à savoir pourquoi ils sont deux. La raison est évidente. Si vivre n'est que parler, cela suppose que nous nous dédoublions lorsque nous sommes seuls. Parler suppose un auditeur : on ne parle jamais seul, on se parle à soi-même; nous le savons très bien lorsque nous avons conscience que notre vie intérieure est un monologue; une moitié de nous-même écoute les discours de l'autre. C'est pourquoi les passants qui « parlent tout seuls » dans la rue font des gestes, à l'intention de la partie imaginaire d'eux-mêmes qui les écoute. L'ancien chrétien Samuel Beckett, habitué à méditer sur un Dieu en trois personnes, crée sans peine un homme en deux personnes. Mais cette création est facilitée par le genre dramatique. Que d'explications dans un roman pour faire saisir au lecteur que deux personnages du roman ne sont qu'un homme unique dialoguant avec lui-même ! Au théâtre les deux acteurs sont là, sous nos yeux, distincts immédiatement pour le spectateur. Mais Vladimir et Estragon ne sont pas des êtres différents dont la rencontre ferait jaillir le drame. Quand Beckett nous dit explicitement qu'ils ne sont pas semblables, c'est pour se moquer de nous : à Pozzo qui demande : « Lequel de vous deux sent si mauvais ? », Estragon répond tout de suite : « Lui pue de la bouche, moi des pieds ». Nuance négligeable.

Cela n'empêche que Beckett destine son texte au théâtre : les propos qu'il prête à Vladimir et à Estragon vont devenir des rôles et les deux personnages ne peuvent être interchangeables. J'ai toujours été frappé du fait que Vladimir et Estragon sont inséparables, sauf la nuit. « Il y a un demi-siècle que ça dure » (p. 111). D'ailleurs cette séparation n'en est pas une, car Vladimir pose à Estragon cette question : « Est-ce que je t'ai jamais quitté ? » (p. 98), ce qui doit vouloir dire que tout n'est pas rompu entre eux quand ils se séparent. Bien que j'aie quelque scrupule à ajouter une interprétation à toutes celles qui ont été données de ce couple et de ses rapports, je ne puis m'empêcher de penser que Vladimir et Estragon sont l'un pour l'autre comme l'esprit et le corps. Vladimir serait l'esprit et Estragon le corps. C'est Estragon qui a besoin de se nourrir de carottes, c'est lui qu'on bat, c'est lui qui souffre d'avoir des chaussures trop petites ; il ne se souvient ni des temps ni des lieux, mais des coups qu'il a reçus et des os qu'il a rongés, etc. En face de lui, Vladimir fait figure de conducteur, de protecteur ; c'est lui qui trouve la nourriture, aussi adopte-t-il un ton de supériorité grotesque : « Quand j'y pense... depuis le temps... je me demande... ce que tu serais devenu... sans moi... » (p. 12) ; et au IIe acte : « VLADIMIR. [...] tu ne sais pas te défendre. Moi, je ne t'aurais pas laissé battre. / ESTRAGON.

Tu n'aurais pas pu l'empêcher. / VL. Pourquoi ? / ESTR. Ils étaient dix. / VL. Mais non, je veux dire que je t'aurais empêché d'être battu. / ESTR. Je ne faisais rien. / VL. Alors pourquoi ils t'ont battu ? / ESTR. Je ne sais pas. / VL. Non, vois-tu, Gogo, il y a des choses qui t'échappent qui ne m'échappent pas à moi. Tu dois le sentir » (p. 100). Voyez encore comment Vladimir compare ses maux avec ceux d'Estragon : « VL. *(avec emportement)*. Il n'y a jamais que toi qui souffres ! Moi je ne compte pas. Je voudrais pourtant te voir à ma place. Tu m'en dirais des nouvelles » (pp. 13-14); ne dirait-on pas la vieille querelle entre douleurs physiques et douleurs morales ? et la noble affirmation que les douleurs morales sont plus pénibles que les douleurs physiques ? Tout cela n'est pas incompatible avec le fait que des deux, c'est Vladimir qui a le plus de joie à retrouver l'autre le matin, après la séparation du sommeil nocturne, car Estragon se moque de mourir et de n'être plus qu'un « petit tas d'ossements » : c'est notre esprit qui a peur de mourir. Et cela n'est pas incompatible non plus avec l'aise que ressent Vladimir quand il se croit débarrassé d'Estragon : « ESTRAGON. Tout à l'heure, tu chantais, je t'ai entendu. / VLADIMIR. C'est vrai, je me rappelle. / E. Cela m'a fait de la peine. Je me disais : il est seul, il me croit parti pour toujours et il chante. / VL. On ne commande pas à son humeur. Toute la journée je me suis senti dans une forme extraordinaire. *(Un temps.)* Je ne me suis pas levé de la nuit, pas une seule fois. / E. *(tristement)*. Tu vois, tu pisses mieux quand je ne suis pas là. / VL. Tu me manquais - et en même temps j'étais content. N'est-ce pas curieux ? » Tout cela traduit le vieux rêve idéaliste d'un esprit qui se voudrait pur, sans les contraintes grossières du corps. Vladimir est un peu pharisien, un peu de mauvaise foi, il est plus raisonneur, plus inquiet qu'Estragon, il essaie de se souvenir, de reconnaître les lieux, de dater les événements, et enfin, lorsqu'ils songent à se pendre, ils disent expressément que des deux, c'est Vladimir le plus léger. Mais Estragon a une sorte d'honnêteté naïve, il ne se laisse pas leurrer par des préjugés; quand il s'est effondré dans la poussière avec les trois autres (p. 138), il considère seulement qu'il est couché, qu'il se fatigue moins que debout et qu'il n'y a pas de raison de se relever; c'est Estragon le poète, et il a un humour dont Vladimir est incapable : « E. *(d'une voix mourante).* Mon poumon gauche est très faible. *(Il tousse faiblement. D'une voix tonitruante.)* Mais mon poumon droit est en parfait état ! » (p. 66). L'ensemble coïncide assez bien avec la distinction entre corps et esprit dans une métaphysique très simple. Beckett ne s'adresse pas à un public de spécialistes de la philosophie, mais à d'honnêtes gens qui ont reçu une éducation secondaire normale : la métaphysique qu'il vise et dont sans doute il se moque, c'est l'union de l'âme et du corps telle qu'on la trouve dans le catéchisme. - Comme toujours chez Beckett il ne faut pas pousser le parallèle trop loin : on vient de le voir, le représentant de la plus noble spiritualité, Vladimir, a des ennuis de vessie; ailleurs on doit lui rappeler qu'il faut boutonner sa braguette, et il mange de l'ail pour se soigner les reins.

4 Le sens de l'œuvre et l'art de Beckett

LE TRAGIQUE

On ne prétend pas que les pièces de Beckett soient des tragédies. Mais elles sont toutes chargées de tragique. Que le tragique soit d'actualité, en 1975, c'est évident : nous employons le mot à tout bout de champ et nous le lisons tous les jours dans notre journal. Nous avons le sentiment du tragique chaque fois que nous rencontrons un malheur qui nous semble immérité. C'est à nos yeux un scandale inexplicable, absurde. Si nous ne sommes ni fous ni de mauvaise foi, nous avons naturellement tendance à croire d'abord qu'un être plus intelligent que l'homme peut comprendre ce que nous ne comprenons pas, et ensuite que c'est bien une faute qu'avait commise à son insu, à l'insu de tous, celui sur qui s'est abattu le malheur injuste. Or, c'est exactement dans cette situation que sont Vladimir et Estragon : dès que nous avons constaté qu'ils sont tous deux dans un état de souffrance, Beckett fait dire à Vladimir : « Si on se repentait ? » et Estragon demande : « De quoi ? », et Vladimir : « Eh bien... *(Il cherche.)* On n'aurait pas besoin d'entrer dans les détails » (pp. 15-16). L'apparition du sentiment de culpabilité au début même de la pièce prouve que c'est de tragique qu'il s'agit.

Cela peut surprendre, car Vladimir et Estragon, au premier abord, évoquent plutôt le cirque et les clowneries. Il faut donc se rendre compte de la grande difficulté que rencontre un auteur contemporain lorsqu'il entreprend d'écrire un ouvrage tragique : il doit trouver des héros. Avant tout il semble impossible de mettre sur la scène tragique de braves gens tirés de la vie courante : le drame bourgeois est sans doute voué à une irrémédiable médiocrité. Nos classiques français du XVIIe siècle avaient trouvé une solution acceptable. Quand on vous a fait lire Corneille et Racine en classe on vous a expliqué, - et je vous expliquerais si j'étais votre professeur, - que les personnages de la tragédie sont des rois parce que la condition princière ne fait guère partie de la société où vivent les spectateurs; en outre ces personnages sont tirés de mondes lointains dans le temps, la Grèce épique, ou lointains dans l'espace, la Turquie. Ainsi le dramaturge peut poser, à côté de toute contingence sociale, et à la rigueur historique, les grandes inquiétudes qui agitent la conscience humaine. Cela est vrai surtout dans l'œuvre de Racine où nous ne voyons quasi jamais les rois faire leur métier de roi. En simplifiant beaucoup, Phèdre est chacun de nous, partagé entre ses exigences de vertu et de pureté d'une part, et d'autre part ses tentations et ses fautes; elle est chacun de nous en proie à la honte et au remords. Incarné par une reine légendaire, le mythe se dégage tout pur. Malheureusement, comme M. Domenach l'a montré, le théâtre d'aujourd'hui ne peut plus mettre sur la scène ces grands héros. Nous n'y croyons plus. En lisant *Le Cid*, vous n'imaginez pas que vous serez un jour obligés d'aller tuer le père de votre fiancée présente ou future avec le sabre de Monsieur votre père. Vous en concluez, d'ailleurs un peu vite, que nous n'avons rien de commun avec Rodrigue et Chimène. Jean Anouilh a donc essayé, voici trente ans, de faire empoigner Antigone par les flics : ces drôleries ont pu faire illusion, mais avec le recul l'illustre fille d'Œdipe n'en est pas plus convaincante. En vérité, la proximité en notre temps d'Hitler ou de Gandhi fait pâlir les images de Néron et de Junie. Il faut donc trouver d'autres incarnations de l'homme dans sa condition tragique. Or à l'autre bout de la hiérarchie sociale existent des gens en qui l'humanité se montre toute pure, ce sont les clochards. Le clochard ne travaille pas plus que Britannicus ou que Monime, il n'a pas plus de souci d'argent, et il a peut-être moins d'ambition et de devoirs envers autrui. L'idéal du clochard est d'*être*, sans plus, sans aucune des modalités que nous impose la vie en société. Il est disponible pour représenter au théâtre un personnage tragique. En outre bien que nous ne soyons pas des clochards, nous nous sentons obscurément une ressemblance avec ces bipèdes qui ont de la peine à retirer leurs chaussures, qui ont oublié de boutonner leur braguette ou qui ont rêvé pendant les longues heures de classe sur la carte de géographie qui est au mur. Est-ce au mur du lycée ? ou au mur de la prison de la Roquette ? Ici s'opère un retournement : Vladimir et Estragon sont grotesques, et nous aurions tort de ne pas rire en lisant ou en voyant représenté *En attendant Godot*. C'est ce que les critiques veulent dire quand ils appellent antihéros les personnages de Beckett ou d'Ionesco. Comme les personnages de Racine, ceux-ci sont faibles et impuissants devant le destin : la première parole d'Estragon est : « Rien à faire », et Vladimir répond : « Je commence à le croire [...] J'ai longtemps résisté à cette pensée, en me disant, Vladimir, sois raisonnable, tu n'as pas encore tout essayé. Et je reprenais le combat » (pp. 11-12). Ce contresens de Vladimir est significatif : c'est bien de la vie humaine tout entière qu'il s'agit. Ou plutôt il n'y a pas de contresens : l'homme n'est pas confronté à des devoirs cornéliens ou à des passions raciniennes. Il se heurte à des obstacles dérisoires. Il est tragique parce qu'il est ridicule. Pour réussir un beau suicide à deux du haut de la tour Eiffel, encore faut-il pouvoir se payer l'ascenseur. Le malheur de Vladimir et d'Estragon, c'est que nul ne peut les prendre au sérieux, c'est la vie quotidienne qui est tragique, c'est vivre qui est un supplice.

L'ATTENTE

Reste la question de savoir qui est Godot. En fait cette question ne sert à rien et n'a pas beaucoup de sens. La vérité est que le verbe *attendre* ne peut s'employer sans complément direct d'objet; quand nous disons « J'attends » sans spécifier quoi, nous voulons dire que nous sommes dans un état qui se prolonge, état d'ailleurs assez pénible, mais nous ne voulons pas dire que cette attente est sans objet, tout au contraire, peut-être. Un dramaturge ou un romancier ne peut pas peindre une attente sans objet; Vladimir et Estragon ne sont pas des romantiques, leur attente n'est pas une mélancolie distinguée à la manière de celle de Madame Bovary;

ce sont des êtres sains et directs, sans vaine littérature dans la tête; s'ils attendent, même sans connaître l'objet de leur attente, ils lui donnent un nom : ce sera Godot, ou la venue de Godot, ou la parole de Godot. Mais ce qui importe au spectateur, ce qui le touche, le bouleverse ou l'angoisse, c'est l'état d'un être humain, d'un de ses semblables en train d'attendre; nous nous moquons tous de l'objet qu'attendent Vladimir et Estragon, et si nous le savions nous risquerions de nous intéresser à cet objet et de nous détourner de ce que Beckett veut nous représenter; aussi ne saurons-nous jamais qui est Godot; à la rigueur chacun peut l'imaginer comme il l'entend. La vraie question est de se demander pourquoi nos deux hommes attendent. Au commencement il y a un fait : la condition d'Estragon et de Vladimir est affreuse; une des premières choses qu'ils disent, c'est qu'ils souffrent : « VLADIMIR. Tu as mal? / ESTRAGON. Mal ! Il me demande si j'ai mal ! » (p. 13), et : « ESTRAGON. Tu as eu mal? / VLADIMIR. Mal ! Il me demande si j'ai eu mal ! » (p. 14); un de leurs projets les plus constants est de se pendre; enfin c'est Estragon qui résume la situation : « J'ai tiré ma roulure de vie au milieu des sables ! Et tu veux que j'y voie des nuances ! *(Regard circulaire.)* Regarde-moi cette saloperie ! [...] Je n'ai jamais été dans le Vaucluse ! J'ai coulé toute ma chaude-pisse d'existence ici, je te dis ! Ici ! Dans la Merdecluse ! » (pp. 103 et 104). A partir de là, Vladimir, entraînant Estragon, imagine un miracle qui les tirera du malheur. Ce miracle, c'est la venue de Godot : « ESTRAGON. [...] S'il vient. / VLADIMIR. Nous serons sauvés » (p. 162). Il est vrai qu'on peut inverser l'ordre des facteurs; qui sait si ce n'est pas parce qu'ils font le rêve insensé d'être sauvés par la rencontre avec un nommé Godot que Vladimir et Estragon sont si malheureux du fait que leur sort présent leur semble insupportable auprès de la béatitude future qu'ils imaginent? Quoi qu'il en soit, attendre est un état ambigu, qui permet d'endurer le malheur présent, mais qui laisse insatisfait, peut-être même qui aggrave le sentiment du malheur présent par comparaison avec l'objet imaginaire que l'on attend. En fin de compte, la condition de Vladimir et d'Estragon, c'est d'attendre, en sorte que leur malheur véritable c'est d'être dans un état contradictoire, celui d'une espérance qui ne sera jamais comblée.

Cependant l'attente est un temps mort. Le sable du sablier s'écoule, mais il ne se passe rien. Beckett a tout mis en œuvre pour nous faire comprendre cette absence d'événements. Remarquons tout d'abord combien est encore commode la forme dramatique pour faire sentir au public le temps du sablier ou de la pendule. Celui qui lit un roman peut interrompre sa lecture, relire certaines pages, bref ne pas savoir clairement quel temps s'écoule entre le moment où il a lu la première ligne et celui où il a lu la dernière. Mais au cours d'une représentation, les spectateurs et les acteurs vieillissent ensemble, au moins pendant la durée nécessaire pour jouer chacun des deux actes, car le temps de l'entracte est indéterminé. Et Beckett a tout fait pour qu'il soit indéterminé : de multiples indices nous font penser que vingt-quatre heures séparent les deux actes : le chapeau de Lucky est encore là, ainsi qu'une paire de chaussures qui ne peuvent être que celles d'Estragon. Mais l'arbre est couvert de feuilles. On a beaucoup épilogué sur ce changement d'aspect dans le décor. Il me semble que cela n'a d'autre but que de créer une impossibilité, car c'est à peu près le seul moyen qu'avait l'auteur de nous empêcher d'évaluer le temps entre l'acte I et l'acte II : Pozzo peut devenir aveugle, Lucky peut devenir muet en un instant, la végétation n'est pas si soudaine. Tout cela prépare la colère de Pozzo : « Vous n'avez pas fini de m'empoisonner avec vos histoires de temps? C'est insensé ! Quand? Quand? Un jour, ça ne vous suffit pas, un jour pareil aux autres, il est devenu muet, un jour je suis devenu aveugle, un jour nous deviendrons sourds, un jour nous sommes nés, un jour nous mourrons, le même jour, le même instant, ça ne vous suffit pas? *(Plus posément.)* Elles accouchent à cheval sur une tombe, le jour brille un instant, puis c'est la nuit à nouveau » (p. 154). Pozzo a raison; cet écoulement du temps n'a aucune importance si aucun événement ne se produit jamais. - Or *En attendant Godot* a été écrit justement pour nous persuader qu'aucun événement ne surgit jamais. Absence d'événement qui n'est pas évidente, car nous rencontrons un ami, il mange une carotte que nous lui offrons, d'étranges passants surgissent à notre vue, l'un nous donne des os à ronger, l'autre un coup de pied dans les tibias, un garçonnet nous annonce que M. Godot ne viendra pas; tout cela meuble le temps de notre vie. Mais supposons que les mêmes événements se reproduisent le lendemain, à quelques détails près : au lieu d'une carotte, nous offrons un radis noir, qu'on nous refuse, ces mêmes passants étranges sont aveugles et muets, le dialogue avec le garçonnet ne se fait pas exactement dans les mêmes termes; les événements n'en tendront pas moins à se brouiller en une masse indiscernable. Pis encore : il faut croire que la rencontre des héros avec Pozzo, au Ier acte, n'est pas la première; Pozzo et Lucky sont déjà passés la veille, - la veille ou un autre jour d'autrefois, - car voici les propos de Vladimir et d'Estragon après la sortie du maître et de son serviteur : « VL. Ils ont beaucoup changé. / E. Qui? / VL. Ces deux-là. / E. C'est ça, faisons un peu de conversation. / VL. N'est-ce pas qu'ils ont beaucoup changé? / E. C'est probable. Il n'y a que nous qui n'y arrivons pas. / VL. Probable? C'est certain. Tu les as bien vus ? / E. Si tu veux. Mais je ne les connais pas. / VL. Mais si, tu les connais. / E. Mais non. / VL. Nous les connaissons, je te dis. Tu oublies tout. *(Un temps.)* A moins que ce ne soient pas les mêmes. / E. La preuve, ils ne nous ont pas reconnus. / VL. Ça ne veut rien dire. Moi aussi j'ai fait semblant de ne pas les reconnaître. Et puis nous, on ne nous reconnaît jamais » (p. 81). Ce retour cyclique - probable - des événements leur enlève toute importance puisque rien ne change jamais pour l'essentiel. Tel est le procédé par lequel Beckett nous suggère que le temps coule en vain. L'histoire de ce monde s'écoule comme la chanson de Vladimir qui raconte indéfiniment la mort du chien voleur d'andouillette, et Vladimir cesse de chanter tant l'angoisse l'étreint. Que faire donc? Il ne reste qu'à attendre un véritable événement, c'est-à-dire quelque chose de vraiment nouveau, c'est-à-dire quelque chose qui ne s'est pas encore produit depuis que le monde est monde. Le surgissement d'un événement - appelons-le la venue de Godot, peu importe - serait proprement un miracle; alors le temps mort redeviendrait vivant, alors Estragon et Vladimir seraient sauvés. Mais quel homme sensé peut croire aux miracles, peut les espérer sérieusement?

Le miracle est un fait qui contredit l'ordre naturel des choses. Voilà pourquoi la condition de Vladimir et d'Estragon est tragique. Ils vivent dans un monde qui n'est pas fait pour eux, puisqu'un miracle serait nécessaire à leur bonheur.

La condition de Vladimir et d'Estragon, je ne sais s'il faut dire la condition humaine selon Beckett, est absurde. Vous connaissez Albert Camus, vous avez lu *l'Étranger*, peut-être même *le Mythe de Sisyphe;* vous avez entendu parler de cette philosophie de l'absurde. « L'absurdité [...] manifeste avant tout un divorce », dit Sartre, justement à propos de *l'Étranger*, dans *Situations I*, divorce entre l'esprit de l'homme et la nature : par exemple nous souhaitons tous ne pas mourir, nous voudrions être éternels, et nous sommes tous sûrs de mourir, c'est notre nature. Mais Albert Camus était un humaniste : la grandeur de l'homme vient pour lui précisément de ce que l'homme est un « étranger » dans le monde, il est lucide et connaît l'absurdité de sa présence dans le monde, il se révolte. On me pardonnera de simplifier outrageusement, ce n'est pas le lieu d'exposer la pensée de Camus. Ce que je veux signaler, c'est que Beckett n'est pas un humaniste. Vladimir et Estragon ne tirent nulle dignité d'être en opposition avec la nature des choses; dans ce monde imparfait ils ne portent pas témoignage d'un monde meilleur; ils ne manifestent aucune supériorité sur ce qui les entoure; ils ne sont même pas extraordinaires par le fait qu'ils sont mal adaptés, car dans ce monde, rien n'est en accord avec rien. Ils sont seulement très malheureux et tous leurs efforts, voués à l'échec, ne font que les rendre ridicules. Tout se passe comme si Dieu était un mauvais plaisant, un sinistre farceur : après avoir créé le monde, il a donné à l'homme une forme d'esprit telle que jamais l'homme ne pourra comprendre le monde; les modes de pensée humains ne sont pas ceux de Dieu, et nous pouvons nous en douter à la manière grotesque dont Pozzo proclame que Vladimir, Estragon et lui sont tous trois d'origine divine (p. 36). Il n'y a à tirer de tout cela ni colère ni tristesse, ni humiliation ni dignité. L'homme est un animal capable d'attendre, mais ce n'est pas la source d'une éminente valeur. Il n'y a point d'humanisme. Vous êtes habitués par vos lectures scolaires à des poèmes qui déplorent la fuite du temps : « O temps, suspends ton vol ! » souhaitait, bien vainement d'ailleurs, Monsieur de Lamartine; Baudelaire maudissait « l'ennemi vigilant et funeste, Le Temps ! »; toute l'œuvre de Gérard de Nerval est un effort désespéré pour annihiler le temps. Voici que Samuel Beckett trouve le temps long : puisqu'il ne se passe rien, qu'on en finisse le plus vite possible, ou bien que se produise un événement — appelons-le la venue de Godot — à la suite duquel il y aurait du nouveau ; que le temps ne soit pas vain. Toutefois, toutes les œuvres de Beckett présentent la même difficulté. Ces personnages figés dans l'immobilité font allusion à un passé où il n'en était pas de même : vers 1900, Vladimir et Estragon portaient beau, ils auraient pu se jeter du haut de la Tour Eiffel, « la main dans la main », « parmi les premiers ». En tout cas, c'est dans la Durance qu'Estragon (p. 13) s'était jeté : « VL. On faisait les vendanges. / E. Tu m'as repêché. / VL. Tout ça est mort et enterré. / E. Mes vêtements ont séché au soleil. / VL. N'y pense plus, va » (p. 90). Quel bon temps que celui où l'on pouvait essayer de se suicider ! Au second acte, c'est Vladimir qui se rappelle le passé : « Pourtant nous avons été ensemble dans le Vaucluse, j'en mettrais ma main au feu. Nous avons fait les vendanges, tiens, chez un nommé Bonnelly, à Roussillon. / E. *(plus calme)*. C'est possible. Je n'ai rien remarqué. / VL. Mais là-bas tout est rouge ! / E. *(excédé)*. Je n'ai rien remarqué, je te dis ! » (p. 104). Même Pozzo se souvient du temps où Lucky était gentil avec lui. Bref ces personnages, avant d'être vieux, ont été jeunes, ce qui se comprend d'une certaine manière, mais comment se fait-il que l'on puisse passer d'un monde vivant à un monde mort ? Quelle catastrophe soudaine a fait entrer ces hommes dans l'état d'interminable agonie où nous les voyons ? Le malheur a-t-il commencé du jour où Vladimir, et éventuellement Estragon, ont pris conscience de l'absurdité de ce monde ? Je vous signale le problème, mais je ne sais trop quelle solution on pourrait lui donner.

LA VALEUR DU LANGAGE

Le thème du rendez-vous manqué domine *En attendant Godot*. Or c'est un thème cher à Beckett. Je ne veux en prendre qu'un exemple, celui qui se trouve dans les premières pages de *Mercier et Camier*. L'arbre est un élément « reparaissant » de ces rendez-vous manqués. Est-ce parce que l'expression « Attendez-moi sous l'orme » signifie « Je n'irai pas au rendez-vous » ? Dans *Mercier et Camier* il s'agit d'un hêtre pourpre, dans notre pièce, c'est un arbre indéterminé. Quoi qu'il en soit Mercier et Camier se sont donné rendez-vous à 9 heures selon Mercier, à 9 heures un quart selon Camier; comme Mercier est arrivé à 9 heures cinq et qu'il est allé faire un tour en attendant, et que Camier ira lui aussi faire un tour en attendant, les deux compères ne se rencontrent qu'à dix heures moins dix. Toujours dans *Mercier et Camier*, nous voyons arriver vers le milieu du roman un certain monsieur Conaire qui a rendez-vous avec Camier; mais Camier est ivre mort et le lendemain matin, Mercier et Camier partiront avant d'avoir rencontré Monsieur Conaire. En fait, c'est la peine que Mercier et Camier ont eue pour se rencontrer au début qui est intéressante. Nul ne saura jamais à quelle heure était vraiment le rendez-vous : un message a été lancé par Camier, mais ce message n'a pas été compris. Première ébauche d'un problème qui tracassera Beckett dans toute son œuvre : comment les hommes font-ils pour communiquer entre eux? Dans certains romans de Beckett on essaiera de communiquer avec autrui en lui tapant sur le crâne à coups de marteau, ailleurs en lui enfonçant un ouvre-boîtes dans les fesses. D'un certain point de vue, *En attendant Godot* n'est qu'un tissu de quiproquos. Vladimir a perçu un message : « Monsieur Godot viendra demain devant l'arbre »; ce ne sont que des mots. A quelle réalité correspondent-ils? Est-ce bien le lieu convenu implicitement? Aujourd'hui est-il bien le « demain » du message? etc. Ces incertitudes font toute l'anxiété de Vladimir : « VLADIMIR. Il a dit devant l'arbre. *(Ils regardent l'arbre.)* Tu en vois d'autres? / ESTRAGON. Qu'est-ce que c'est? / VL. On dirait un saule. / E. Où sont les feuilles? / VL. Il doit être mort. / E. Finis les pleurs. / VL. A moins que ce ne soit pas la saison. / E. Ce ne serait pas plutôt un arbrisseau? / VL. Un arbuste. / E. Un arbrisseau. / VL. Un - *(Il se reprend.)* Qu'est-ce que tu veux insinuer? Qu'on s'est trompé d'endroit? » (p. 20). Tout vient de ce qu'on ne peut savoir si la plante qui se trouve là porte légitimement le nom d'arbre. Pis encore : de Monsieur Godot, Vladimir ne connaît que le nom; comment savoir, quand tombera la nuit, s'il n'est pas venu? si Pozzo n'était pas Godot? A la limite, dans l'absolu, nous ne pourrions jamais que nous parler à nous-mêmes, sans autre interlocuteur. Il est de fait que dans *En attendant*

Godot on se comprend lentement et mal. Sur le temps que Pozzo passe en scène au cours du Ier acte, le quart est occupé par les efforts de Vladimir et d'Estragon pour expliquer à Pozzo qu'ils veulent savoir pourquoi Lucky ne dépose pas ses bagages. Après quoi, Estragon a oublié qu'il a posé la question et que Pozzo a répondu, Pozzo ne sait plus qu'il a répondu, et comme dans l'intervalle Lucky a déposé les bagages, personne ne sait plus où ils en sont. L'histoire des deux larrons en croix devient un bafouillage parce qu'Estragon ne sait pas ce que veut dire le verbe sauver : est-ce sauver de la mort? ou de la damnation éternelle? On pourrait multiplier les exemples. Voici les dernières répliques de la pièce qui couronnent dignement tout le dialogue : « Relève ton pantalon » dit Vladimir à Estragon dont le pantalon est tombé sur les chevilles. « E. Comment? / VL. Relève ton pantalon. / E. Que j'enlève mon pantalon? VL. RE-lève ton pantalon. / E. C'est vrai. *Il relève son pantalon* » (p. 163). Plus typique encore est le passage suivant :

« POZZO *(d'une voix terrible)*. - Je suis Pozzo ! *(Silence.)* Ce nom ne vous dit rien? *(Silence.)* Je vous demande si ce nom ne vous dit rien? / *Vladimir et Estragon s'interrogent du regard.* / ESTRAGON *(faisant semblant de chercher)*. Bozzo... Bozzo... / VLADIMIR *(de même)*. Pozzo. / P. PPPOZZO ! / E. Ah ! Pozzo... voyons... Pozzo... / VL. C'est Pozzo ou Bozzo? / E. Pozzo... non, je ne vois pas. / VL. J'ai connu une famille Gozzo. La mère brodait au tambour. » Et la suite prouve que seul Vladimir aura, comme on dit, enregistré ce nom de Pozzo. Tout y est : on a bien de la peine à se comprendre, et quand on croit que le renseignement a été transmis, on met sur le tapis une famille Gozzo dont on n'a que faire.

Il faut remarquer que dans l'ensemble les messages sont finalement transmis. Le langage ne saurait être totalement inefficace : si jamais deux être humains ne mettaient la même réalité sous le même mot, le monde n'existerait pas. Or il y a une société, et qui fonctionne - mal - mais qui fonctionne. Peut-être cette demi-efficacité du langage est-elle pire que le néant absolu, qui serait la solution la plus simple aux maux des hommes. Mais rien n'est certain dans l'œuvre de Beckett, pas même la vanité du langage.

L'AMOUR DES MOTS

Parler est une malédiction, nous l'avons vu. Nous ne pouvons cesser de parler et Beckett finit par prendre en horreur cette voix que l'on ne peut faire taire. Les mots n'ont pas un sens bien sûr et il est bien difficile de communiquer avec autrui. Et pourtant tout cela s'accompagne chez Beckett d'un amour quasi sensuel, si j'ose dire, pour les mots. C'est presque pour le plaisir de prononcer le verbe bruire qu'Estragon et Vladimir se demandent si les voix mortes chuchotent, murmurent ou bruissent (p. 105). Voici une expression toute faite : bavarder à propos de bottes; un Français moyen ne pense plus à une paire de bottes quand il l'emploie; Beckett y pense : VLADIMIR. [...] Maintenant qu'est-ce que nous avons fait hier soir? / E. Ce que nous avons fait? / VL. Essaie de te rappeler. / E. Eh ben... nous avons dû bavarder. / VL. *(se maîtrisant)*. A propos de quoi? / E. Oh... à bâtons rompus peut-être, à propos de bottes. *(Avec assurance.)* Voilà, je me rappelle, hier soir nous avons bavardé à propos de bottes. Il y a un demi-siècle que ça dure » (p. 111). Quand on se rappelle la place qu'occupent les chaussures d'Estragon dans le Ier acte, ce fragment de dialogue prend une saveur rare : Estragon ne croit pas si bien dire et le spectateur, ou le lecteur, a le plaisir de comprendre la même expression de deux manières différentes. Et qui sait s'il ne faut pas prendre le problème par l'autre bout? C'est peut-être parce qu'il pensait que ses personnages bavardaient à propos de bottes que Beckett a imaginé un conflit entre les pieds et les chaussures d'Estragon. Le grand écrivain est celui en qui l'invention du « fond » et de la « forme », pour employer une vieille opposition qui n'a pas grand sens, jaillit d'un seul coup. Mais l'intérêt de ces doubles sens ne s'arrête pas à notre plaisir. La pièce commence, nous l'avons dit, par une réplique d'Estragon : « Rien à faire. » Ce propos n'a aucune valeur transcendante ni métaphysique : Estragon n'arrive pas à se déchausser. Mais Vladimir se méprend et y voit une allusion au combat de la vie dont il commence à croire qu'il est perdu, en sorte que le « Rien à faire » se charge d'angoisse; nous avons déjà analysé ce passage, mais nous voudrions montrer ici que c'est dans l'épaisseur du quiproquo que le texte résonne en nous, qu'il nous inquiète et nous trouble, tout en nous avertissant que le tragique humain est dérisoire. Le texte de Beckett est à la fois précis, de sens strictement limité, et illimité, évocateur, bien au-delà du sens simple des mots, des malheurs - des bonheurs peut-être - de la condition humaine. La langue de Samuel Beckett est admirable, les au-delà, les harmoniques de la phrase sont obtenus sans aucun trémolo romantique, sans sous-entendu symboliste; les mots ont d'abord leur sens vrai et plein : une chaussure, un fossé, un chapeau ne désignent rien d'autre que les objets habituels; le texte est classique par sa densité, cette dureté d'un grain serré qui rappelle le cœur de chêne.

Conclusion

Si nous vous conseillons de lire *En attendant Godot*, - ou, mieux, d'assister à une représentation - ce n'est pas pour vous suggérer d'imiter Vladimir et Estragon en devenant des clochards. Ce n'est pas non plus pour que vous vous absorbiez entièrement dans la recherche de l'homme en soi, si j'ose dire : cette recherche est désespérante. C'est parce que ce texte peut être utile. Ne négligeons pas le plaisir que procure ce merveilleux dialogue comique, mais il ne faut pas s'en tenir là. Il n'y a point de leçon à tirer d'une œuvre d'art, et d'un écrit de Samuel Beckett moins que de tout autre. *En attendant Godot* n'apporte aucune assurance, aucun « message ». Ce texte n'est pas rassurant. On ne saurait y trouver la synthèse finale d'une dialectique. Mais rien n'interdit de poursuivre au-delà de cette pièce la solution des problèmes proposés, de dépasser cette exposition tragique de notre condition. En ce sens, l'œuvre de Beckett ménage votre liberté à venir. Beckett ne vous interdit de croire ni en Dieu, ni en un monde meilleur ici-bas; il vous dit seulement que sur la terre Dieu ne nous parlera pas demain au coin de la rue et que nous ne trouverons pas la maquette de la cité future toute faite dans les vitrines des boutiques. Dieu et la cité future ne sont pas de ce monde où rien ne manifeste ni ne prouve l'existence d'autres êtres ou d'autres mondes. Pascal ne disait pas autre chose. Il est vain de se demander si personnellement M. Samuel Beckett a perdu ou non toute foi religieuse ou politique; la lecture de ses œuvres nous débarrasse de nos illusions, ce qui est un bien car seuls peuvent en fin de compte ne pas désespérer ceux qui ne se sont pas laissés aller à des espoirs faciles et injustifiés.

Nos certitudes n'ont de valeur que si elles résultent d'une victoire sur des incertitudes. Il est légitime d'être inquiet sur le monde où nous sommes plongés. Beckett vous aide à formuler cette inquiétude. Il n'est certes pas facile de vivre : tel est l'avertissement que vous donne *En attendant*

Godot. Et certes la lucidité seule ne résout rien; mais rien n'est possible sans elle. Il faut en tout cas oser envisager sur l'homme et sa condition les pires hypothèses. Quand les œuvres de Samuel Beckett n'offriraient qu'une leçon de courage, ce serait assez pour que leur lecture vous soit profitable.

Sans doute pouvez-vous souhaiter une autre forme de théâtre, où le spectacle ne serait plus organisé à partir d'un texte littéraire, où la participation des spectateurs serait plus physique, plus près d'un engagement total. Sans doute pouvez-vous souhaiter un théâtre moins confidentiel. Mais, la communauté du théâtre grec est bien loin. Malheureusement, aujourd'hui, en France, on n'a pas réussi, semble-t-il, à instituer une fête dramatique nouvelle. Le théâtre des années cinquante n'a pas été dépassé : *En attendant Godot* est un grand chef-d'œuvre; il n'est pas étonnant qu'on n'ait rien vu de meilleur sur la scène française depuis vingt ans.

Annexes

▶ Bibliographie sommaire

En attendant Godot a été publié pour la première fois à Paris en 1952 (Éditions de Minuit), à New York en 1954 (Grove Press), à Londres en 1956 (Faber and Faber).

Le texte des Éditions de Minuit est constamment réimprimé.

Sur Beckett, voici quatre petits volumes d'initiation, dans l'ordre chronologique. Le troisième a pour auteur Ludovic Janvier, proche collaborateur de Samuel Beckett. Le dernier est le manuel le plus complet et le plus commode :

ANDRÉ MARISSEL, *Beckett*, Classiques du XXe siècle, Éditions universitaires, 1963.

PIERRE MELESE, *Samuel Beckett, Textes et Propos de Samuel Beckett, Panorama critique, Témoignages, Chronologie, Répertoire des œuvres, Bibliographie, Illustrations photographiques*, Seghers, 1966.

LUDOVIC JANVIER, *Beckett par lui-même*, Écrivains de toujours, Éditions du Seuil, 1969.

GÉRARD DUROZOI, *Beckett*, Bordas, Présence littéraire, 1972.

On peut également apprendre à connaître Beckett dans GUY CROUSSY, Hachette, 1971 et l'on trouvera des jugements dans : *Les critiques de notre temps et Beckett.* Présentation de Dominique, Garnier, 1971.

Les deux ouvrages les plus importants publiés à ce jour en français sont :

LUDOVIC JANVIER, *Pour Samuel Beckett*, Éditions de Minuit, 1966.

OLGA BERNAL, *Langage et fiction dans le roman de Beckett*, Gallimard, 1969.

Signalons enfin une bibliographie très complète :

RAYMOND FERDERMAN et JOHN FLETCHER, *Samuel Beckett : His Works and His Critics*, University of California Press - Berkeley, 1970.

Principales représentations d'« En attendant Godot »

La pièce a été créée à Paris, au Théâtre de Babylone le 3 janvier 1953, mise en scène par Roger Blin. Elle a ensuite été jouée à Dublin en 1955, à Londres en 1955 et en 1956, à Miami, à New York et de nouveau à Paris en 1956. Les principales reprises à Paris ont été celles de l'Odéon-Théâtre de France en 1961, du Théâtre Chaptal en 1966 et du Théâtre Récamier en 1970.

Jugements et témoignages

Nulle barrière naturelle ou physique ne retient Estragon et Vladimir dans cette tourbière traversée par une route, et donc paradoxalement désignée comme un lieu de passage; pourtant chacun de leurs départs n'est qu'une fausse sortie, un simulacre de départ, un éloignement illusoire. Leur improbable mais impératif rendez-vous avec Godot les maintient ou ramène, aussi bien que leur condition de clochards, sur ce bord de route dont l'équivoque banalité s'impose contradictoirement tout au long de la pièce comme un *ici* peu certain et cependant sans *ailleurs :* un *ici* peu certain en ce sens qu'Estragon et Vladimir se demandent souvent s'ils attendent au bon endroit, à l'endroit fixé pour le rendez-vous, à supposer qu'on leur ait donné rendez-vous. Y sont-ils déjà venus? Le reconnaissent-ils? Impossible de l'affirmer. *Nous sommes déjà venus hier*, prétend Estragon. *Ah! non*, répond Vladimir qui interroge en même temps : *l'endroit te semble familier?* A quoi Estragon répond aussitôt : *Je ne dis pas ça.* Où se trouvent-ils donc, ici ou ailleurs? Question insoluble car *ici* pourrait tout aussi bien être *ailleurs*, et le second acte se charge de nous le signifier, où de petits indices laissent supposer qu'on a changé de place quoique, bien entendu, l'ensemble apparaisse identique. Aussi le lieu du théâtre de Beckett, piège vertigineux, efface-t-il toute opposition entre *ici* et *ailleurs;* il est le « n'importe où » dénudé, le lieu-en-soi d'une attente, d'une incertitude, d'une question balbutiée et vécue sans réponse.

OLIVIER DE MAGNY, *Samuel Beckett et la farce métaphysique*, dans *Cahiers Renaud-Barrault*, oct. 1963, pp. 65-66.

En attendant Godot est une « action » où tendresse et cruauté, lumière et ombre, s'équilibrent et habitent vigoureusement cet espace-temps immobile et recommencé qui est la zone humaine. Sur une aire dénudée c'était la rencontre de quatre effondrements avec un mouvement perpétuel.

Il resterait à définir le ton qui fait de ce non-drame une tragédie optimiste. Vladimir et Estragon sont malheureux, Pozzo et Lucky incarnent eux aussi le malheur d'être là, ces quatre êtres se tournent et se retournent dans cet espace-prison, ils vont et viennent dans la cage du temps, parlent pour oublier, parlent pour durer, font des gestes pour se sentir vivre, et ils savent, ils éprouvent que tout cela est vain. Or ils ne sont pas tristes. *En attendant Godot* n'est pas un enfer, c'est un lieu de la neutralité et même d'un certain bonheur dans le plus « noir » de la déréliction, dans ce qui devrait être senti comme le « noir » de la déréliction mais n'est en fait, pour ces agis et ces attentifs, que le tout-venant de la condition humaine. La proximité de la voix, dans le cycle romanesque, nous empêchait de reconnaître celui qui la portait comme un frère tout à fait : c'était un damné. La distance, ici, sauve l'écrivain du silence, l'œuvre de la folie et nous permet de voir enfin ceux qui nous parlaient jusque-là : ce sont des hommes comme nous. Mieux : parlant avec calme de leur misère, et ayant le sentiment de représenter la banalité humaine, les séparés qui vivent devant nous ne font que nous renvoyer une image concentrée, à peine retouchée, de notre propre misère, de notre propre banalité. Tendres clochards et réprouvés boys-scouts, maître sadique et serviteur chosifié nous parlent tranquillement de nous. C'est cette tranquillité qui, les sauvant de la passion et leur évitant la tragédie, les plonge dans le formol de l'éternité. Ils ne se tuent pas, ils pleurent modérément, ils s'entretiennent par de petites plaisanteries, ils bougent encore un peu : ce sont des hommes qui durent, à l'aise dans le pire. *En attendant Godot*, ou le courage.

LUDOVIC JANVIER, *Pour Samuel Beckett*, Éd. de Minuit, 1966, pp. 103-104.

... Le frisson tragique que l'Électre de Giraudoux, l'Antigone d'Anouilh, le Caligula de Camus, l'Oreste de Sartre n'avaient pas suscité, il nous arrive de l'éprouver devant les minables, les éclopés, les paralysés, les anonymes et les impondérables de Ionesco et de Beckett. Certitude de notre malheur, révélation de notre destin, qui nous terrifient et nous libèrent à la fois. Ce n'est pas que ces clochards, cette enterrée vive, ce roi agonisant ou ces bureaucrates au front de rhinocéros touchent de plus près notre vie quotidienne, au contraire : dans cette déchéance, dans ce désert, dans cette monstruosité nous nous sentons enveloppés et révélés, bien davantage que par les révolutionnaires des *Mains sales* ou les anciens nazis des *Séquestrés d'Altona*. Pourtant Hoederer et Frantz nous parlent de notre proche histoire, alors que Bérenger, Winnie, Vladimir et Estragon ne nous disent rien. Mais c'est de nous qu'ils parlent, en deçà et au-delà des idées que nous avons de nous-mêmes et de notre société, tissant les premières mailles d'une mythologie sans nom où notre avenir va se prendre. Depuis deux cents ans, on nous expliquait qui nous sommes et qui nous devons être : de Diderot à Sartre, en passant par Ibsen et Brecht, le théâtre débordait de psychologie, d'idéologie et de morale. Or voici, soudain, qu'on nous représente. Une demi-obscurité envahit la salle. Enfin l'énigme a reparu. Avec elle s'annonce la tragédie.

JEAN-MARIE DOMENACH, *Le retour du tragique*, Le Seuil, 1967, pp. 259-260.

▶ Index des thèmes principaux

Message et **messager :** Cf. notre commentaire pp. 52 et 53.
En attendant Godot : fin de chaque acte.
Cf. surtout Gaber dans *Molloy*.

Permutation circulaire : Le type de la permutation circulaire est donné par le gag des chapeaux, pp. 121-122 dans *En attendant Godot*. Dès *Watt* apparaît un thème voisin, celui de la substitution en chaîne, Watt succédant à Erskine qui avait succédé à Walter, etc. C'est surtout dans *Comment c'est* que sera exploitée l'idée d'individus interchangeables en chaîne.

Rendez-vous manqué (avec arbre) : Cf. notre commentaire pp. 51 et 52.
Cf. *Mercier et Camier*.

Voix intarissable : Cf. notre commentaire pp. 30 et 31.
En attendant Godot : pp. 17, 23, 24, 71 à 75, 96 et 97, 105 à 110, 138 et 139, 141, 142, 146, 157.
Cf. toute l'œuvre de Beckett, sauf peut-être *Murphy* et *Watt*.

LITTÉRATURE

TEXTES EXPLIQUÉS

160 **Apollinaire,** Alcools
131 **Balzac,** Le père Goriot
141/142 **Baudelaire,** Les fleurs du mal / Le spleen de Paris
135 **Camus,** L'étranger
159 **Camus,** La peste
143 **Flaubert,** L'éducation sentimentale
108 **Flaubert,** Madame Bovary
110 **Molière,** Dom Juan
161 **Racine,** Phèdre
107 **Stendhal,** Le rouge et le noir
104 **Voltaire,** Candide
136 **Zola,** Germinal
93 **Le romantisme**
102 **Parnasse et symbolisme**
92 **Du symbolisme au surréalisme**
90 **Du surréalisme à la Résistance**

THÈMES ET QUESTIONS D'ENSEMBLE

94 La nature : Rousseau et les romantiques
95 La fuite du temps, de Ronsard au XXe siècle
97 Voyage et exotisme au XIXe siècle
98 La critique de la société au XVIIIe siècle
106 La rencontre dans l'univers romanesque
111 L'autobiographie, de Montaigne à Nathalie Sarraute
130 Le héros romantique
137 Les débuts de roman
155 La critique de la guerre
162 Paris dans le roman du XIXe siècle

HISTOIRE LITTÉRAIRE

114/115 50 romans clés de la littérature française
119 Histoire de la littérature en France au XVIe siècle
120 Histoire de la littérature en France au XVIIe siècle
139/140 Histoire de la littérature en France au XVIIIe siècle
123/124 Histoire de la littérature et des idées en France au XIXe siècle
125/126 Histoire de la littérature et des idées en France au XXe siècle
128/129 Mémento de littérature française
127 La littérature fantastique en France
151/152 Le théâtre

FORMATION

EXPRESSION ÉCRITE ET ORALE

306 Trouvez le mot juste
307 Prendre la parole
308 Travailler en groupe
309 Conduire une réunion
310 Le compte rendu de lecture
311/312 Le français sans faute
323 Améliorez votre style, tome 1
365 Améliorez votre style, tome 2
342 Testez vos connaissances en vocabulaire
426 Testez vos connaissances en orthographe
390 500 fautes de français à éviter
391 Écrire avec logique et clarté
395 Lexique des faux amis
398 400 citations expliquées
415/416 Enrichissez votre vocabulaire
424 Du paragraphe à l'essai
425 Les mots clés de la mythologie

LE FRANÇAIS AUX EXAMENS

422/423 Les mots clés du français au bac
303/304 Le résumé de texte
417/418 Vers le commentaire composé
313/314 Du plan à la dissertation
324/325 Le commentaire de texte au baccalauréat
394 L'oral de français au bac
421 Pour étudier un poème

BONNES COPIES DE BAC

317/318 Bonnes copies Le commentaire composé, tome 1
349/350 Bonnes copies Le commentaire composé, tome 2
319/320 Bonnes copies Dissertation, essai, tome 1
347/348 Bonnes copies Dissertation, essai, tome 2
363/364 Bonnes copies, Technique du résumé et de la discussion

Imprimé en France par l'IMPRIMERIE HÉRISSEY, Évreux (Eure)
Dépôt légal : 14031 - Mai 1994 - N° d'impression : 65222